RICARDO VILLA-REAL

THE ALHAMBRA
AND THE GENERALIFE

MIGUEL SANCHEZ, EDITOR

GRANADA

© Miguel Sánchez, Editor. Marqués de Mondéjar, 44. Granada.
Photographs: Miguel Sánchez. F. Zerkowitz and Paisajes Españoles.
English version: Karen Otto de García.
Deposito legal: M. 37.890-1987
ISBN: 84-7169-024-1
Printed by GREFOL, S. A., Pol. II - La Fuensanta - Móstoles (Madrid)
Printed in Spain

The very mention of the Alhambra is enough to evoke in many people's minds the spell of an historic past, teeming with life, and the charm of certain exotic legends that pique the imagination with this magic word. "Yet," as Angel Ganivet remarked, "there are some people who visit the Alhambra and believe they sense the lulling and allure of sensuality, but fail to sense the profound sadness that emanates from a deserted palace, forsaken by its inhabitants, imprisoned in the impalpable threads woven by the spirit of destruction, that invisible spider whose feet are dreams."

The Alhambra of Granada is a unique monumental complex, in which a number of exceptional circumstances are combined. One of them is its topography. Rising upon the hill of La Sabica it dominates the whole city, which is beheld and courted like a wife. That is the image which inspired the Arab poet Ibn Zamrak in the 14th century:

> "Pause on the esplanade of La Sabika and gaze upon your surroundings.
> "The city is a lady whose husband is the hill.
> "She is clasped by the belt of the river,
> "And flowers smile like jewels at her throat...
> "La Sabika is a crown upon the brow of Granada,
> "In which the stars yearn to be studded.
> "And the Alhambra – God watch over it! –
> "Is a ruby at the crest of that crown."

From this hilltop location any tower or window, wall or archway easily affords the opportunity to reflect upon unparalleled scenery and panorama —upon harmony, sound and light.

The name *Alhambra* comes from an Arabic root which means "red" *(al-qala hamrá,* red or crimson castle), perhaps due to the iron hue of the towers and of the walls that surround the entire hill of La Sabica, "which by starlight is silver, but by sunlight is transformed into gold," says an Arab poet. But there is another, more poetic version, evoked by the Moslem annalists, who speak of the construction of the Alhambra fortress "by the light of torches," the reflections of which gave the walls their particular coloration.

Created originally for military purposes, the Alhambra was an *alcazaba* (fortress), an *alcázar* (palace) and a small *medina* (city), all in one. This triple character helps to explain many distinctive features of the monument. Nor should we find strange the curious marriage, contrived by history itself, between Moslem art—so delicate and fragile here, with "poor substances converted into artistic substance" (Gómez Moreno)—and Christian art, robust and full of Renaissance balance.

There is no reference to the Alhambra as a residence of kings until the 13th century, even though the fortress had existed since the 9th century. The first kings of Granada, the Zirites *(ziríes),* had their castles and palaces on the hill of the Albaicín, and nothing remains of them save the memory. The Nasrites *(nasríes)* were probably the emirs who, commencing in 1238, built the Alhambra. The founder of the dynasty, Muhammed Al-Ahmar, began with the restoration of the old fortress. His work was completed by his son Muhammed II, whose immediate successors continued with the repairs. The construction of the palaces (called *Casa Real Vieja,* "old Royal House or Palace") dates back to the 14th century and is the work of two great kings: Yusuf I and Muhammed V. To the first we owe, among others, the *Cuarto de*

Comares (Chamber of Comares), the *Puerta de la Justicia* (Gate of Justice), the Baths and some towers; his son, Muhammed V, completed the beautification of the palaces with the *Cuarto de los Leones* (Chamber of the Lions), as well as other rooms and fortifications.

The Alhambra became a Christian court in 1492, when the Catholic Monarchs (Ferdinand and Isabella) conquered the city of Granada. Later various structures were built for prominent civilians and for military garrisons, in addition to a church and a Franciscan monastery. Emperor Charles V, who spent several months in Granada, began the construction of the palace which bears his name and made some alterations in the interior buildings. These measures were to cause interminable controversy, in which the critics often have been motivated by political considerations. The rest of the Austrian kings did not forget the monument and have left their light and discreet impressions on it.

But then, during the 18th century and part of the 19th, the Alhambra, neglected, was to see its salons converted into dungheaps and taverns, and occupied by thieves and beggars. "Thus bats defile abandoned castles, thus the reality of Spanish crime and mendicancy disenchant the illusion of this fairy palace of the Moor", says the aggressive Richard Ford. As the crowning blow, Napoleon's troops, masters of Granada from 1808 until 1812, were to convert the palaces into barracks–and in retreat one September 17th mine the towers and blow up part of them. Two of them, the *Torre de Siete Suelos* (Tower of Seven Floors) and the *Torre del Agua* (Water Tower) are left in ruins.

And so the incredible neglect continued, until 1870 when the Alhambra was declared a national monument. Travelers and romantic artists of all countries had railed against those who scorned the most beautiful of their monuments. Since that date and up to our time, the Alhambra, protected, restored, cared for and even improved, has been preserved for the pleasure and admiration of all.

LA DEL MORO   GENERALIFE   VELETA 3398   PEINADOR REINA   CABALLO 3015   CARLOS V   TORRE HOMENAJE   TORRE DE LA VELA   TORRES BERMEJAS

T. COMARES

STA. Mª ALHAMBRA

PLAN OF THE ALHAMBRA AND THE GENE[

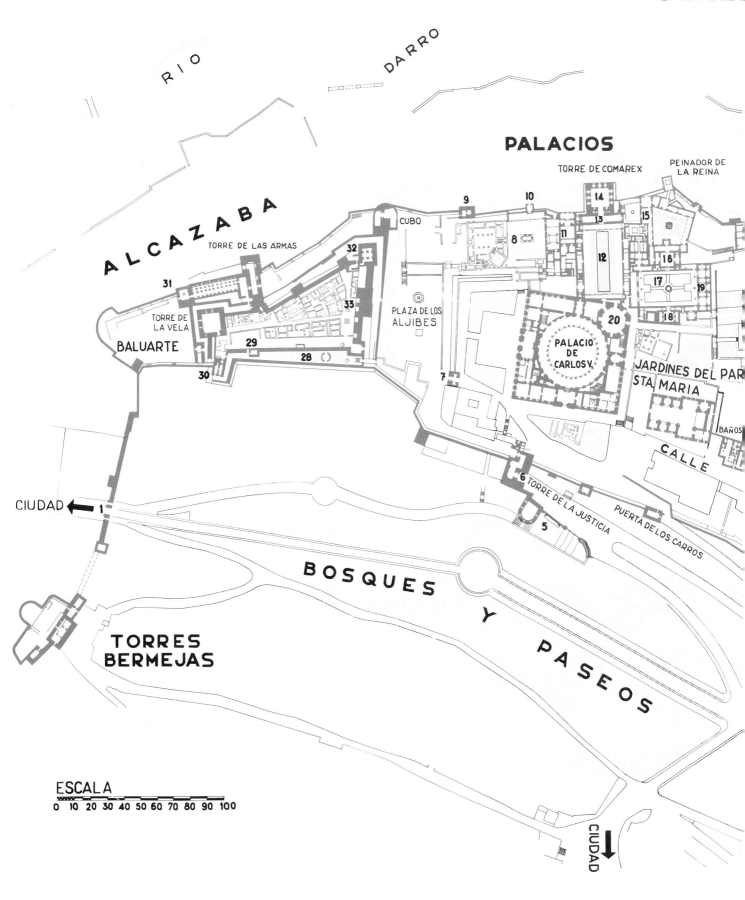

RIO

DARRO

PALACIOS

TORRE DE COMAREX

PEINADOR DE LA REINA

ALCAZABA

TORRE DE LAS ARMAS

CUBO

9

10

14

13

15

11

8

12

16

31

32

33

PLAZA DE LOS ALJIBES

TORRE DE LA VELA

17

19

18

BALUARTE

29

28

20

PALACIO DE CARLOS V.

JARDINES DEL PAR

STA. MARIA

30

7

BAÑOS

CALLE

6 TORRE DE LA JUSTICIA

PUERTA DE LOS CARROS

CIUDAD ← **1**

5

BOSQUES

Y

PASEOS

TORRES BERMEJAS

ESCALA

0 10 20 30 40 50 60 70 80 90 100

CIUDAD ↓

1. Gate of the Pomegranates.
2. Fountain of the *Tomate* (Tomato).
3. Monument to Ganivet.
4. Fountain of the *Pimiento* (Pepper).
5. Fountain of Charles V.
6. Gate of Justice.
7. Wine Gate.

The Moorish Palaces.

8. Garden of Machuca.
9. Tower of the *Gallinas* (Hens).
10. Tower of the *Puñales* (Poniards).
11. The Mexuar.
12. Court of the Myrtles.
13. Hall of the Boat.

14. Hall of the Ambassadors.
15. Apartments of Charles V.
16. Hall of the Two Sisters.
17. Court of the Lions.
18. Hall of the Abencerrajes.
19. Hall of the Kings.
20. Crypt of the Palace of Charles V.

The Towers

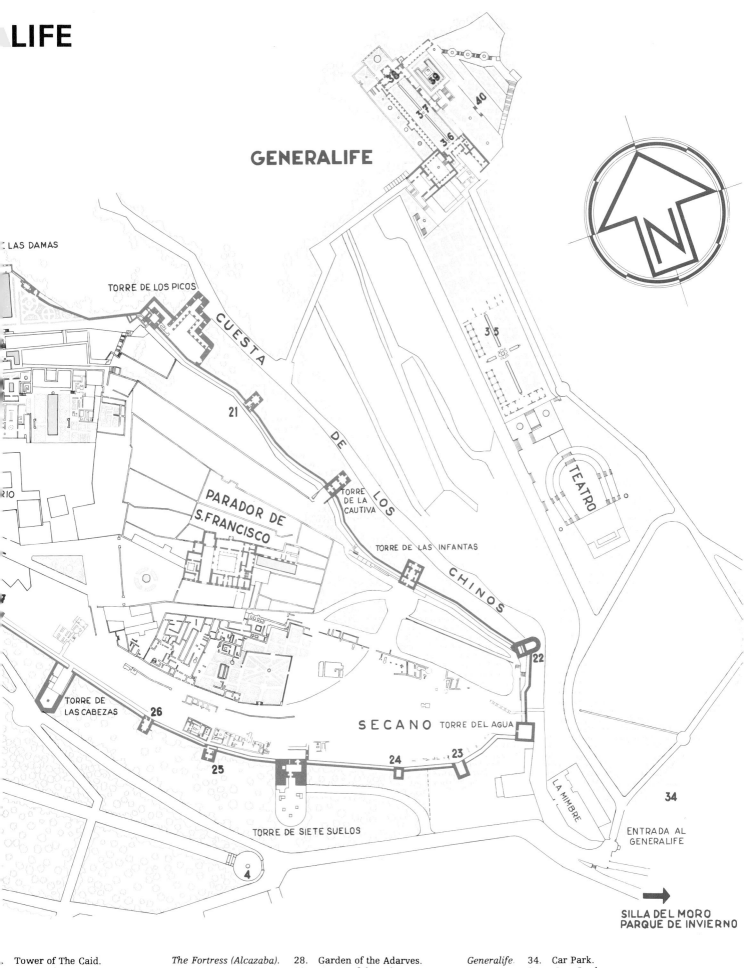

ALIFE

GENERALIFE

C LAS DAMAS

TORRE DE LOS PICOS

CUESTA

21

PARADOR DE S.FRANCISCO

TORRE DE LA CAUTIVA

DE

LOS

TORRE DE LAS INFANTAS

CHINOS

22

TORRE DE LAS CABEZAS

26

SECANO   TORRE DEL AGUA

24   23

25

TORRE DE SIETE SUELOS

LA MIMBRE

34

ENTRADA AL GENERALIFE

4

SILLA DEL MORO
PARQUE DE INVIERNO

38   39

3.7

40

3.6

3.5

TEATRO

N

Tower of The Caid.
Tower of Tne End of the Track.
Tower of Juan de Arce.
Tower of Baltasar de la Cruz.
Tower of the Captain.
Tower of the Witches.
Tower of the Abencerrajes.

The Fortress (Alcazaba).

28. Garden of the Adarves.
29. Tower of the Sultana.
30. Gunpowder tower.
31. Tower of the *Hidalgos*.
32. Tower *del Homenaje* (the Keep).
33. The Broken tower.

Generalife

34. Car Park.
35. New Gardens.
36. Court of the Pool. Southern pavilion.
37. Court of the Pool.
38. Court of the Pool. Northern pavilion.
39. Court of the Sultana.
40. Upper Gardens.

Starting from Plaza Nueva, the road up the slope of the *Cuesta de Gomérez* ends at the **Puerta de las Granadas** (Gate of the Pomegranates), a sturdy and simple Renaissance structure which gives access to the *Bosque* (Woods) of the Alhambra, dating from the 18th and 19th centuries.

Once through the Gate of the Pomegranates, we have a choice of three roads. The one on the right goes to the Hill of Mauror, where the *Torres Bermejas* (Red or Crimson Towers) are. The middle road leads through the woods to the Generalife. Following the left-hand road, a steep slope takes us to the **Pilar de Carlos V** (Fountain of Charles V), a lovely Renaissance monument which boasts the coat-of-arms and emblems of the Emperor. The three grotesque faces apparently represent the three rivers of Granada (Genil, Darro and Beiro). The mythological themes of the eroded medallions on the wall are barely discernible. Behind the fountain is the

Puerta de la Justicia

(Gate of Justice), also called *Puerta de la Ley* (Gate of Law) and *Puerta Judiciaria* (Judicial Gate). Its tower is massive, and its surprising austerity reveals its military purpose. "Embattlemented tower, tinged with orange and gold, against a dark sky background" (T. Gautier). Two wide horseshoe arches form the entrance of the gate. On the outside is carved an outstretched hand,

undoubtedly a talisman; perhaps the open fingers represent the five precepts of Koranic law. The second arch, smaller, has a key carved on its lintel, likely a symbol of power. Higher up, an inscription tells us that the gate was constructed by Yusuf I in 1348. And above the inscription there is an image of the Virgin and Child, of late Gothic style, copy of the original which is in the Museum of Fine Arts. Inside the gate a winding passage ends at a small, enclosed altarpiece. At its side a tablet, in complicated Gothic characters, speaks of the conquest of the city and the appointment of the Count of Tendilla as *alcaide* (governor) and captain. After leaving the gate's enclosure its rear façade should be observed. It is made of brick, but there are some very interesting remnants of the original tiles, of decorated enameled clay.

Next is a passageway with an unusual wall on the left, formed of Moslem funeral tablets. The passage leads to the **Plaza de los Aljibes** (Square of the Cisterns), handsome and expansive, with a variety of temptations: an Arab gateway before us, a Renaissance palace on the right, an exceptional panorama ahead, some high towers to our left...

At the very entrance of the esplanade is the **Puerta del Vino** (Wine Gate), which inspired Debussy, the man who wrote music about Spain without having visited it. "What the musician has wished to evoke in "La Porte du Vin" is the calm and luminous hour of the

siesta in Granada," says Manuel de Falla. The gate presents a double façade of horseshoe arches. The western façade has a charming little double window. Above the portal runs a frieze; and on the central keystone appears, again, the magic key or talisman, indicating that this gate, now isolated, must have communicated in the past with the *medina* or city. The rear or western façade is very rich in painted and glazed enamelwork.

From the western side of the Court of the Cisterns we enter the

ALCAZABA

(from the Arabic *al-qasba:* "fortress"). It is the oldest part of the Alhambra, reconstructed upon the ruins of a castle in the 9th century. The most solid towers are those of *Homenaje* (Homage), situated to the south, and the *Quebrada* (Broken), at the northeast angle. The richest in its interior is the *Torre de las Armas* (Tower of Arms). All are surpassed in popularity and historical interest by the **Torre de la Vela** (Watch-Tower). Its bell is rung on special festive occasions by young maidens of the city in the joyful hope of warding off spinsterhood. It is the tallest tower of the walled enclosure, and the panorama seen from here extends toward unlimited horizons. Its silhouette is a significant symbol to the people of Granada.

At the entrance of the *Alcazaba* is the delightful *Jardín de los Adarves* (Garden on the Wall Tops), also called *Jardín de los Poetas* (Garden of the Poets). From its battlements our gaze is drawn to the towers of the hill in the foreground. They are the *Torres Bermejas* (Red or Crimson Towers), the "castle of great worth" of a famous border ballad. Their bewitching name is evoked in the music of Albéniz or Joaquín Rodrigo.

LA CASA REAL

(THE ROYAL HOUSE, or PALACE). This is comprised of several palace groups, with a series of courts and structures surrounding them, which were born out of transitory or ornamental necessity. Since the 16th century these Nasrite *alcázares* (palaces) have been designated the *Casa Real Vieja* (Old Royal House) in order to distinguish them from the Christian buildings: *Casa Real Nueva* (New Royal House).

The Alhambra contains the three divisions usually found in a Moslem pal-ace: the *Mexuar* or *Cuarto Dorado* (Gilded Chamber), reception salon dedicated to the public and to the administration of justice; the *Cuarto de Comares* (Chamber of Comares) or *Serrallo* (the Seraglio), official residence of the king or emir; and the *Cuarto de los Leones* (Chamber of the Lions) or *Harén* (Harem), intimate family apartments of the monarchs. These three branches are complemented by other dependencies, also noteworthy.

Mexuar

A modest passageway, a door grating, a small courtyard. In the background, the portal of the *Mexuar*, section of the palace where the emir, either directly or through his *cadí* (magistrate), administered public justice two days a week. On entering, our first impression is one of disorder, as we notice that arabesques alternate with Christian motifs: a chapel choirloft, balustrades, railings, imperial escutcheons, nobiliary ensigns... No other hall of the Alhambra has suffered more modifications and alterations. In the center of the hall, the four marble columns no longer support the original cupola, perhaps even balconies which have disappeared. Observe the beautiful stucco decoration on the walls.

From the windows on the left can be seen the **Jardín de Machuca** (Garden of Machuca, named after the architect)– gallery or portico of festooned arches, with a garden of geometric outline and a graceful pool in the center. This was the original entrance for those who came from the quarters of the Almanzora and the Albaicín, across the bridges of the River Darro. At the rear of the hall of the *Mexuar* a private *oratorio* or small mosque looks out upon the river valley. Its decoration, restored, is very lavish. Its *mihrab* (niche) indicates the east, towards which those who pray must face. It bears this significant inscription: "Be not among the negligent. Come and pray."

At the rear of the hall we pass into the **Patio del Mexuar** (Court of the Mexuar), with columns of unusual capitals. Behind the portico is the **Cuarto Dorado** (Gilded Chamber), today completely redone. The courtyard is small, and its function as anteroom is clearly seen. In the center is a marble basin, a replica of the original which is in the Garden of Daraxa. And opposite we see the façade of the

Cuarto de Comares

(Chamber of Comares). This was the official residence of the emir. Its splendid façade is of extraordinarily rich decoration and admirable composition. Its two doorways, of geometric symmetry, have frames of tile inlay (or glazed tiles); and above each are small double windows, panels and friezes with great ornamental richness. And covering the façade is a great projecting *alero* (cornice) of carved wood, with an inscription which begins: "My position is that of the crown, and my gateway is a junction of paths. The East envies the West for my cause..."

Through the doorway on the left, along a winding passageway, we enter the **Patio de los Arrayanes** (Court of the Myrtles), also called *Patio de la Alberca* (Court of the Pool). This impressive courtyard, of rectangular shape in the purest tradition of Arabic architecture, measures 37 meters long by nearly 24 wide; and its pool serves as a mirror wherein the porticos and the tower of Comares are reflected. Parallel to the water are two hedges of myrtle, or *arrayán* (from which the name comes). The south portico, adjoining the Palace of Charles V, is composed of seven arches of latticed fretwork. From this point the battlemented tower, the pool and the portico opposite form a chromatic and sensory union–which, from all its elements, makes it the triumph of balance and the haven of peacefulness. "The rest is silence. There are no words to describe this *asylum pacis*, the most perfect and purest of all those which I have sought and found" (C. Mauclair).

The north portico has likewise seven arches above columns with stylized capitals of *mocárabes* (stalactites). And on the walls are pious supplications and poetic inscriptions. The ornamental characters in the Arabic script here are, in themselves, a decoration and an adornment. White cursive or kufic characters of verses from the Koran, pious maxims or *qasidas* (poems) are embossed upon darker backgrounds or upon tiled *zócalos* (lower wall portions).

The pointed arch in the center, with spandrels showing vegetation motifs and crowned by small latticed windows of plaster, is the entry to the **Sala de la Barca** (Hall of the Boat), which may owe its name either to the wooden roofing, like a boat's keel, or more likely to the Arabic word *baraka* (greeting, blessing) which appears with profusion in the engraved inscriptions on the walls. In the jambs of the arch are some recesses of fine marble, faced within with ceramic, which were designed for flower vessels or lamp lights. The constant ornamental motif in the plaster covering of the walls is the escutcheon of the Nasrites, with the motto, "Only God is victorious." It seems clear that the function of this room was as antechamber of the adjoining **Salón de Embajadores** (Salon of the Ambassadors), which occupies the interior of the Tower of Comares. The tower measures 45 meters high and is a masterpiece of Yusuf I. The name is derived from the Arabic *qamaryya* (in Spanish, *comarías)*, the colored glass windows that existed in the nine alcoves or open galleries of the hall. We can imagine the royal canopied throne on the balcony or recess in the center, facing the Court of the Myrtles. In this majestic hall, the dome is a masterpiece of Moslem carpentry, in dark cedar wood; the great frieze of *mocárabes* (stalactites) and the arabesques of the walls are marvels of stylization. In this hall Granada's fate was sealed when Boabdil and his Grand Council decided to surrender to the Catholic Monarchs, Ferdinand and Isabella.

Cuarto de los Leones

(Chamber of the Lions). This third branch of the Alhambra Palace has, like the two previous sections, a central courtyard surrounded by structures. It is the work of Muhammed V and illustrates the most beautiful possibilities of Granada Moslem art. Throughout this chamber a subtle air of femininity and daintiness is sensed, in keeping with the function of these private apartments, devoted to the placid enjoyment of home and family life.

The **Patio de los Leones** (Court of the Lions) is characterized by its profound originality; and, in it, East and West merge harmoniously. It has been compared to a grove of 124 palmtrees, most with double columns, around the oasis of the central fountain with its twelve lions. But the slender *templetes* (niches) of triple arches make us think also of the cloister of a medieval monastery. It is the triumph of rhythm and symmetry.

The twelve-sided marble fountain rests upon the backs of the lions. Water, so essential as a decorative element, acquires here an exceptional importance. The liquid ascends and spills from the basin —which has been compared with the "sea of bronze" of Solomon's Temple—to the mouths of the lions, from which it is distributed throughout the courtyard. A lovely *qasida* (ode) by Ibn Zamrak circles the rim of the basin.

Four large halls border the courtyard.

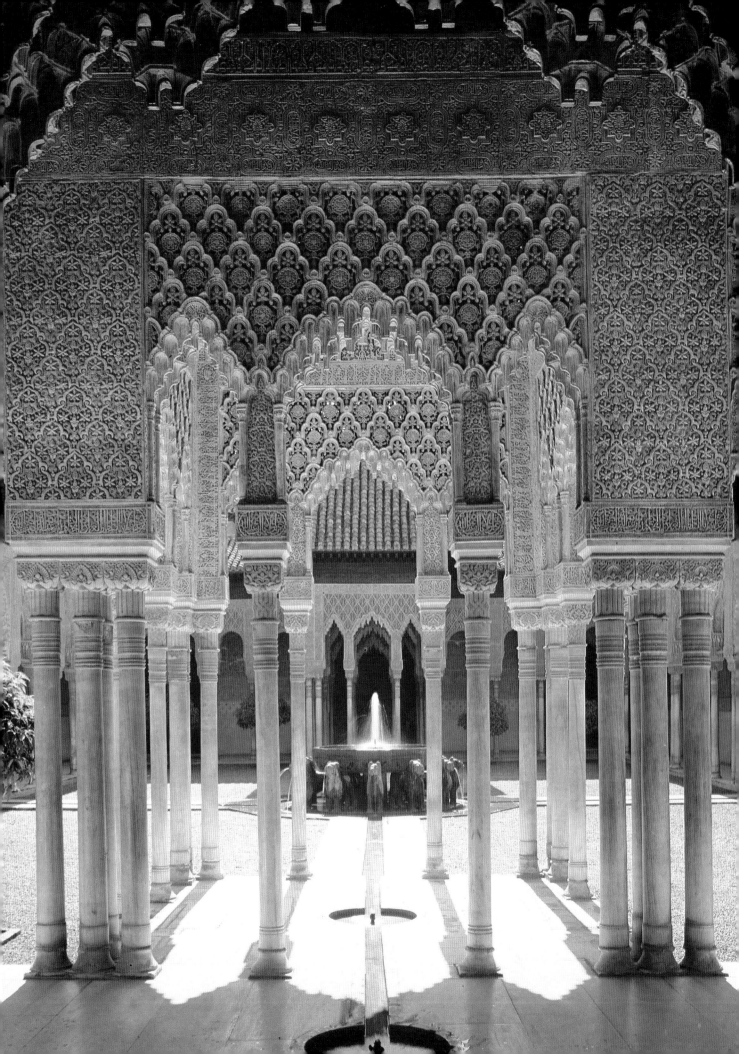

The first, entering from the Court of the Myrtles, is the **Sala de los Mocárabes** (Hall of Stalactites) whose name is perhaps derived from the three stalactite arches which form the entrance to the Court of the Lions. Part of the ceiling was laid in the 18th century; and today the result, save for the original walls, is coarse and incongruous.

To the south is the **Sala de Abencerrajes** (Hall of the Abencerrajes), famous in legend. Its gateway, decorated with *lazo* (ornamental knots), is the original. Light penetrates the hall through 16 graceful little fretwork windows, opening in the extremely beautiful starry dome. The light is soft and vertical. The square hall has alcoves at either end. In the center is the famous fountain where, according to tradition, the nobles of the illustrious line of Abencerrajes were beheaded. Someone tries to convince us that the rust-colored stains on the marble are from the blood of those unhappy victims, still visible after centuries. And it is useless to try to prove they are only iron oxide... No, it is not easy in the Alhambra to destroy the fantasies of the imagination.

On the east side of the courtyard is the **Sala de los Reyes** (Hall of the Kings), called also *Sala de la Justicia* (Hall of Justice); odd and unusual, it resembles a theatrical set, divided in three sections which correspond to three lovely porticos, separated by double arches of *mocárabes* (stalactites), each based on a fretwork rhombus. The name of the hall is given by the picture on the vault or central dome, which apparently depicts ten Nasrite kings. These portrayals, as well as those in the other two adjacent alcoves, have been executed according to a miniatured technique of illumination. They represent fantastic and conventional scenes. Much debated and studied by experts, some Christian influence is clear in this corner of the Arab *alcázar* (palace).

North of the Court of the Lions is the **Sala de las Dos Hermanas** (Hall of the Two Sisters), so called because of the two large marble flagstones flanking the central fountain and spout. The dome of *mocárabes* (stalactites) is admirable, and so is the treatment of light in this hall: the effect is that of richness, luminosity, enchantment. The decoration is based on *alicatados* (ceramic tile in-lay along the lower portion of the walls) and *atauriques* (stylized decoration with vegetation motif). A *qasida* (poem) by Ibn Zamrak, the poet who illustrated the walls of the Alhambra, runs along the tiled *zócalo* (lower wall portion). The adjoining hall is the **Sala de los Ajimeces** (arched windows with central pillars) with two balconies overlooking the Garden of Daraxa.

Between these two balconies is the **Mirador de Daraxa** (Lookout of Daraxa), dressing-room and bedroom of the Sultana. It is a delightful retreat in this secluded section of the palace, in the style of bay window or *mirador.* (A more popular name is *Lindaraja,* corruption of *Daraxa,* which means "house of the Sultana".) "And she directs the charger of her glance toward that landscape where the breeze frolics," says an inscription; for formerly, before the Reconquest when the buildings now opposite were constructed, this room looked out over the Albaicín and the neighboring mountains. The tiled *zócalo* (lower wall) is extraordinary–perhaps the most complex, rhythmical and subtle in all the Alhambra, and surely the one with the most diminutive pieces. The windows are low, in keeping with the Moslem custom of reclining on the floor upon cushions and ottomans.

Through a plain hall adjoining the Hall of the Two Sisters we come to other sections of the palace.

A suite of deserted rooms, *Habitaciones del Emperador* (the Emperor's Apartments), is situated above the Garden of Daraxa. Three of these rooms were occupied by Washington Irving, and in them he wrote his *Tales of the Alhambra.* The last hall gives access to the **Peinador de la Reina** (Queen's Dressing-room), also called the *Tocador* (Boudoir). An open gallery and an airy little tower, it was once designed as the residence of the Empress Isabel and later of Isabel of Parma, Philip V's wife. It is a *mirador* (lookout) and commands exceptional panoramas. Some restored frescoes portray scenes of Charles V's expedition to La Goleta.

Passing through the **Patio de los Cipreses** (Court of the Cypresses), unusual and unique, we come to the **Baños Reales** (Royal Baths). The importance for Moslems of the bath is well known, as is its ceremonial and even sacred charac-ter. These baths of the Alhambra are very complete and are related in their structure to the· Roman bath. The first hall we enter is the *Sala del Reposo* (Hall of Repose) or *Sala de las Camas* (Hall of the Beds), which is actually the

final resting place after a bath which would have taken place in the other rooms. It would have started in the *Sala de Inmersión* (Hall of Immersion) with its marble tanks for cold and hot water, perfumed; and then it would have continued in the *Sala de Exudación* (Hall of Exudation), the famous Turkish bath, ending up in the Hall of Repose. This last hall, which has been restored, is charming, with its four marble columns and its *alicatados* (tile in-lay), and three twin arches on the sides. The story above has four galleries from which, according to popular fancy, blind musicians interpreted sensuous melodies...

Next to the Baths is the **Jardín de Daraxa** (Garden of Daraxa), or *Lindaraja*–not Moslem but Christian, and quite romantic. The original Arab fountain bears a song of praise inscribed on its rim. Off to one side of this garden are the cellars and the **Sala de los Secretos** (Hall of Secrets), delight of children of all ages because of its peculiar resonant qualities.

PARTAL AND TOWERS

The **Partal** (from the Arabic word for "portico"–lobby, porch, piazza) is a group of recent gardens, graded in terraces. All around are the towers which guard the ramparts of the enclosure. Cited in order they are: *Torre de las Damas* (Ladies), the small *Oratory*, *Torre de los Picos* (Spikes), *Torre del Cadí* (Magistrate) which the townspeople call *Torre del Candil* (Oil Lamp), *Torre de la Cautiva* (Captive Lady), *Torre de las Infantas* (King's Daughters), *Cabo de la Carrera* (End of the Track), *Torre del Agua* (Water Tower), *Torre de los Siete Suelos* (Seven Floors), *Torre del Capitán* (Captain), *Torre de la Bruja* (Witch)... until we reach the *Puerta de la Justicia* (Gate of Justice). Some of the towers have been reconstructed in our time, at least on the outside. Others, like *Siete Suelos*, stand in melancholy ruin. The Tower of the Ladies is an open portico, of five arches, with a large mirror-like pool. There are two lions which are crude, barely stylized. The Oratory (or little tower of the *mihrab*, "shrine") is elegant and has a somewhat irregular

interior. The Tower of Spikes presents an unusual silhouette, as its brick merlons terminate in a pyramidical shape. It may be a Christian work. If the Tower of the Cadí has little to offer, the next two towers are most interesting. The Tower of the Captive Lady is the source of numerous legends connected with Isabel of Solís, la Rumía, concubine of Muley Abul Hassan. Its interior is very richly decorated. The Tower of the Infantas is exquisitely feminine and coquettish, with its little central courtyard and waterspout and its graceful upper story or gallery. All of these towers are worth a visit.

CHRISTIAN ALHAMBRA

We have noted in passing some Christian influences in the towers and palaces. But within the Alhambra enclosure there are also monuments which are exclusively Western. For example, in the *Jardines de los Mártires* (Gardens of the Martyrs) there was once a monastery of the barefoot Carmelite order of which St. John of the Cross was prior.

The Church of St. Mary of the Alhambra is built upon the site where the royal mosque of the Alhambra formerly stood. The Monastery of St. Francis (today a government *parador,* or inn) was erected upon an Arab palace, and has the additional merit and sentimental value of having housed the temporary sepulchre of the Catholic Monarchs–Ferdinand and

Isabella—until their transfer to the *Capilla Real* (Royal Chapel) of Granada.

Palace of Charles V

Among all these Christian buildings the *Palacio de Carlos V* (Palace of Charles V) stands out. Called the *Casa Real Nueva* (New Royal House, or Palace), it was commissioned by the Emperor in an endeavor to emulate the Palace of the defeated Moslems—and also to provide for himself a habitable residence. Although it may seem paradoxical, the building attains its full artistic justification and its validity precisely here, where the contrast is most violent. For we have passed brusquely from the fragile world—sensory, ethereal nuances—of the Moslems, to the vigorous and forceful world, the triumph of order and balance.

Construction of the palace was begun in 1527 under the direction of Pedro Machuca, who had studied with Michelangelo in Italy. Subjected to a long series of interruptions, it is still unfinished. Its salons have been modernized, and the roofs of its upper gallery have been covered. Today its most noble function is as headquarters for two museums: the National Museum of Hispanic-Moslem Art and the provincial Museum of Fine Arts. It also serves as the setting for concerts of the International Festival of Music and Dance.

The palace is a building in the form of a square and comprised of two main parts: the first, in Tuscan style; and the second with Ionic pilasters, a great circular courtyard and a ring-shaped vault. Of its four façades in *almohadillado* (that is, the part of the wall with squared masonry) only two are finished in their decoration: the southern and the western. The most important is the western façade, with three gateways, *frontón* (pediment) and cornice, magnificent medallions showing horsemen, and bas-reliefs with military insignia, as well as emblems and mythological figures. Great bronze rings hang from lion or eagle heads. The Doric columns of the lower part are of *pudinga* granite. The second part of the gallery rests upon Ionic columns.

The impression given by the Palace of Charles V—a very important landmark of Renaissance art—is one of sobriety, of solidity and of classical elegance.

THE GENERALIFE

"Generalife, garden that had no match," says a celebrated border ballad. And someone has called it "the noblest and most exalted of all gardens." The Alhambra is complemented by the Generalife, a complex of gardens and white buildings, resting on and seemingly clinging to the hillside facing the palaces. Long ago there was a royal *almunia* (garden) here, planned as a playground for the Nasrite emirs. Gentle, tamed Nature with ineffable charm, the Generalife is a combination of trees and flowers, formal gardens, and *miradores* and galleries. It inspired Manuel de Falla's nocturne, "In the Generalife" of his symphonic poem, "Nights in the Gardens of Spain." And this music, in its sensory and direct impressionism, renders better than poetry or painting the pleasure of the silence, and of the sounds of the water, and of the perfumes of the vegetation.

The word *Generalife* has been translated as "garden of paradise," "orchard" or "garden of feasts," "house of delights," etc. The most correct interpretation is that of "garden of the architect" *(Gennat alarif; alarife* is "builder"). After the city was conquered, the Generalife was granted by the Catholic Monarchs to the Granada Venegas family. The last private owner was the Marquis of Campotéjar. And since 1921 it has been the property of the State.

An iron gate opens, and a shady road unfolds, bordered by lofty cypresses. This **Paseo de los Cipreses** (Promenade of the Cypresses) merges into the **Paseo de las Adelfas** (rose-bay, oleander, rhododendron) with a vault of flowers. The poet Juan Ramón Jiménez, "heart seized, as if wounded then convalescent," with "the light and the water that form in my depths the most prodigious labyrinths–low heavens, delirious generalifes," sings thus:

...*"The waters speak, and they weep
"Beneath the white oleanders;
"Beneath the rose oleanders,
"The waters weep, and they sing . . .*

This promenade leads us to the **Patio de la Acequia** (Court of the Long Pond), with Arab constructions. This most celebrated spot, heart and soul of the palace grounds, is rectangular and has porticoed pavillions on its north and south sides. On the western side a gallery of 18 arches frames lovely and unique views of the Alhambra and the

city. Through the courtyard splashes the famous long channel of waterspouts, surrounded by hedges of myrtle and of roses, amid cypresses and orangetrees. It is the poem of the water–humble, chaste and lovely...

The northern portico is called the **Mirador** (lookout) of the Generalife. It has five arches in front, slender and stylized, and three behind, of marble, with stalactite capitals. The five little overhead windows are exquisite, and so is the stucco grille-work, or lattice. In the square compartment of the three arches there is an inscription which furnishes us with precise data about the construction (the year 1319, during the reign of the Nasrite emir of Granada, Abul Walid Ismail). The arcade or portico is in front of a hall from which we obtain an excellent view of the Albaicín and the Sacromonte.

Through the north portico we pass to the **Patio de los Cipreses** (Court of the Cypresses), also called **Patio de la Sultana,** with a pool in the center. The distribution of the small ponds is charming, with their frames of oleander and myrtle, and their spouts in such profusion. Against the edge of the rampart wall are two old cypresses. In the decayed trunk of one of them–so goes the tradition–the king (perhaps Muley Abul Hassan) surprised the sultana, his wife, with an Abencerraje nobleman, thus provoking the massacre of the entire clan. (Delightful fable by that great weaver of fables, Ginés Pérez de Hita.)

A little stone step lifts us to the Upper Gardens, which were once olive groves, and today boast a handsome esplanade and modern gardens. Here is the unusual stairway with its cascading waterfalls, described by Navagiero as early as the 16th century, with hollow channels down which the water runs. The stairway leads to a modern, uninteresting edifice of several stories. At the end of the esplanade in the Upper Gardens is the entrance to the upper part of the southern portico in the Court of the Long Pond, which we can now view from a different perspective. Down a small stairway we descend to the New Gardens, plentiful with rose bushes; pergolas and geometry – always with the poem of the water. These gardens, although modern, are very much in the Granada style and delightful to see and enjoy. At the far end we see a large open-air stage where every year the ballet and theatre programs of the International Festival of Music and Dance are performed.

Contrasting strongly with the fertility of the Generalife is the harsh landscape of the mountain which shelters it. Young pines and scrawny olive trees struggle in an ochre earth which is unacquainted with water. It is the *Cerro del Sol* (Peak of the Sun) or *Colina de Santa Elena* (St. Helen's Hill). Ruins and lovely recollections abound on the slopes of this mountain. Among them is the *Silla del Moro* (the Moor's Seat), very near the Generalife and on a higher elevation. Here is an ideal spot for contemplating the Alhambra, the valley of the Darro, the Generalife, the Albaicín and part of the city – and the ideal time of day is in the late afternoon; for

"How hard it is for the daylight
"To take its leave of Granada!
"It entangles itself in the cypress
"Or hides beneath the water."

(Federico García Lorca)

INDEX OF ILLUSTRATIONS

Alhambra

Generalife

Amgueddfa Genedlaethc
Arweiniad i'r Oriel Gelf Gene   ol

Mark Evans ac Oliver Fairclough

Cyfieithiad Cymraeg gan Mary Jones

Amgueddfa Genedlaethol Cymru

Arweiniad i'r Oriel Gelf Genedlaethol

Amgueddfa Genedlaethol Cymru/Caerdydd
mewn cydweithrediad â
Chyhoeddwyr Lund Humphries/Llundain

Cyhoeddwyd gyntaf ym Mhrydain Fawr ym 1993 gan
Amgueddfa Genedlaethol Cymru
Parc Cathays
Caerdydd CF1 3NP
mewn cydweithrediad â
Chyhoeddwyr Lund Humphries
Park House
1 Russell Gardens
Llundain NW11 9NN

Manylion Catalogio mewn Cyhoeddiadau, y Llyfrgell Brydeinig
Mae cofnod catalog ar gyfer y llyfr hwn ar gael oddi wrth
y Llyfrgell Brydeinig

ISBN 0 7200 0388 1

DALEN FLAEN
Tu blaen Amgueddfa Genedlaethol Cymru

Cynlluniwyd gan Alan Bartram
Cysodwyd gan August Filmsetting, St Helens
Argraffwyd a rhwymwyd ym Mhrydain Fawr gan
Nwy Prydain Cymru

Cynnwys

Rhagair y Noddwr

Mae Nwy Prydain Cymru yn croesawu'r cyfle i noddi'r arweiniad hwn i gasgliadau celf cyfoethog ac amrywiol Amgueddfa Genedlaethol Cymru, sy'n cael ei gyhoeddi i nodi agor ei horielau celf newydd gan Ei Mawrhydi Y Frenhines. Wrth darllen y cyflwyniad am hanes cynnar yr Amgueddfa, gwnaed argraff ddofn arnaf gan ymroddiad ei sefydlwyr i greu casgliad celf o safon ar gyfer addysg a mwynhad pobl Cymru. Yn Nwy Prydain Cymru yr ydym ninnau'n ymroi mewn ffordd debyg i'r ddelfryd hon o wasanaeth cyhoeddus, a gobeithio y bydd yr arweiniad hwn sy'n llawn gwybodaeth yn dod â mwy o enwogrwydd i'r casgliad nodedig hwn.

JOHN HINCHLIFFE
Cadeirydd Rhanbarthol

Rhagair

Mae cynnig hael Nwy Prydain Cymru i noddi'r arweiniad hwn i'n casgliadau celf, sydd newydd eu hail-arddangos, yn gyfle i'w groesawu i adolygu canrif o waith. Ym 1907, rhagwelai sefydlwyr yr Amgueddfa Genedlaethol gasgliad a fyddai'n gosod celfyddydau cain a chymwysedig Cymru mewn cyd-destun rhyngwladol. Gwireddwyd eu gwelediaeth o fewn cyfnod un oes, yn bennaf drwy haelioni casglwyr fel Gwendoline a Margaret Davies, W. S. de Winton, James Pyke Thompson, Syr William Goscombe John, E. Morton Nance ac, yn fwy diweddar, Derek Williams a Syr Leslie Joseph. Yng Nghaerdydd gallwch astudio'r ddeialog ddwy ganrif oed rhwng peintwyr a thirwedd Cymru ochr yn ochr â champweithiau'r traddodiad Clasurol a gweithiau rhyfeddol yr Argraffiadwyr a'r Ôl-Argraffiadwyr. Gellir cymharu'r mudiad "Cerfluniaeth Newydd" â grŵp pwysig o weithiau efydd Ffrengig. Yn yr un modd, gellir edrych yn fanwl ar gampweithiau rhagorol y celfyddydau cymwysedig yng Nghymru – gwaith porslen Abertawe a Nantgarw – wrth ymyl arddangosfeydd godidog o waith cerameg Prydain a'r Cyfandir tua'r un cyfnod. Gobeithio y bydd cwmpas ein casgliadau – sy'n rhychwantu'r cyfnod o'r Dadeni tan heddiw, yn amrywio o beintiadau olew i lestri wedi eu siapaneiddio, gan artistiaid nad ydynt yn adnabyddus iawn y tu allan i Gymru yn ogystal â'r enwau mawr rhyngwladol – yn ysgogi'r dychymyg creadigol mewn ffordd sy'n aml yn cael ei llesteirio gan gasgliadau mwy o faint a mwy arbenigol.

Er 1987, gyda chymorth arbennig gan y Swyddfa Gymreig a chymorth hael nifer o sefydliadau a rhoddwyr, mae ein horielau celf wedi dyblu o ran eu maint, gosodwyd systemau awyru o'r safon ryngwladol uchaf, mae'r casgliadau wedi eu hail-arddangos yn drylwyr ac yn drefnus, a darparwyd ystafelloedd cadwraeth, storfeydd a chyfleusterau eraill. Golygodd hynny lawer iawn o waith caled a chyson gan staff yr Amgueddfa a chontractwyr allanol. Yr wyf yn eithriadol ddiolchgar iddynt am eu holl ymdrech, ond hoffwn fynegi fy ngwerthfawrogiad arbennig o gyfraniad y Ceidwad Celf a'i staff. Drwy eu hymdrechion hwy i raddau helaeth iawn y mae Oriel Genedlaethol Cymru wedi ei chreu o fewn Amgueddfa Genedlaethol Cymru, gan ddarparu cartref haeddiannol i'n casgliadau godidog. Dethlir hynny yn yr arweiniad lliwgar hwn, sydd wedi ei noddi'n hael gan Nwy Prydain Cymru. Gobeithio y bydd yn annog hen gyfeillion i ddychwelyd ac yn cyflwyno oriel gelf bwysig i gylch newydd o bobl, yma ac mewn gwledydd tramor.

ALISTAIR WILSON
Cyfarwyddwr
Amgueddfa Genedlaethol Cymru

Cydnabyddiaethau

Mae cyhoeddi'r arweiniad hwn yn nodi ail-godi, ehangu ac ail-arddangos yr orielau celf yn Amgueddfa Genedlaethol Cymru, gwaith a ddechreuwyd ym 1987 a'i orffen ym 1993. Erbyn hyn mae arnom ddyled i lawer o bobl. Hoffwn gofnodi diolch yr Adran Gelf i bawb a fu'n ymwneud â'r cynllun, yn enwedig y pensaer, John Phillips o gwmni Alex Gordon a'r Partneriaid, a'n Swyddog Adeiladau, Basil Thomas. Gydag ynni, amynedd a hiwmor anghyffredin, maent wedi gwireddu'n gobeithion a'n cynlluniau. Ni fuasai llwyddiannau'r chwe mlynedd diwethaf yn bosibl heb ymrwymiad llwyr holl aelodau'r Adran Gelf. Trafodwyd y trefniadau ymarferol yn eithriadol ofalus gan Kate Lowry, Jim France, Judi Pinkham, Mike Jones a Keith Bowen. Marc Evans ac Oliver Fairclough a fu'n gyfrifol am drefnu'r arddangosfeydd, ysgrifennu'r labeli a thestun yr arweiniad hwn. Yr wyf hefyd yn ddiolchgar i Jon Astbury, Katy Barron, Lisa Childs, Gemma Curtin, Peter David, Rachel Duberley, Tim Egan, Rosa Freeman, Avril Haynes, Sarah Herring, Mary Kilpatrick, Christine Mackay, Rachel Oliver, Paul Rees a Sylvia Richards. Mewn rhannau eraill o'r Amgueddfa Genedlaethol, cafwyd cymorth sylweddol gan Louise Carey, Cliff Darch, Bryn Davies, Tony Hadland, John Kenyon, Colin Plain, Hywel Rees, John Rowlands, Kevin Thomas, a Jim Wild. Pe bae curadurwyr a chyfranwyr y gorffennol a adeiladodd y casgliad hwn yn gallu gweld ei gartref newydd, credaf y byddent yn ystyried bod y dyfodol yn debygol o gofio'n dda iawn amdanynt.

TIMOTHY STEVENS
Ceidwad Celf

Cyflwyniad:
Twf Casgliad

1. William Menelaus (1818-82)

Erbyn canol y bedwaredd ganrif ar bymtheg yr oedd tua thrigain o amgueddfeydd ym Mhrydain, yn cael eu gweinyddu'n bennaf gan brifysgolion neu gymdeithasau dysgedig. Yr oedd y sefydliadau mwyaf – sef yr Amgueddfa Brydeinig a'r Oriel Genedlaethol – eu hunain wedi eu seilio ar gasgliadau preifat ac wedi eu sefydlu gan ddeddfau Seneddol ym 1753 a 1824. Drwy gyfrwng Deddf Amgueddfeydd 1845 ac wedi eu hysbrydoli gan lwyddiant yr Arddangosfa Fawr ym 1851, dechreuodd awdurdodau dinesig ffurfio sefydliadau tebyg: Amgueddfa Lerpwl ym 1851, Oriel Gelf ac Amgueddfa Glasgow ym 1854 ac Amgueddfa ac Oriel Gelf Birmingham ym 1867. Ym 1862 Caerdydd oedd yr awdurdod Cymreig cyntaf i fanteisio ar Ddeddf Llyfrgelloedd Cyhoeddus 1855 pan sefydlodd Lyfrgell Rydd ac Amgueddfa gyda grant corfforaethol blynyddol o £450.

Dechreuodd y cyfraniadau gyrraedd, ond ni chafodd y sefydliad newydd unrhyw weithiau celf tan 1870, blwyddyn *Arddangosfa Celfyddyd Gain a Diwydiannol* Caerdydd. Un o'r llu sioeau oedd hon a gynhaliwyd i efelychu'r Arddangosfa Fawr, a chynhaliwyd yr arddangosfa o waith celf, hynafiaethau, peiriannau diwydiannol a henbethau mewn tua 900 metr sgwâr yn y Drill Hall. Cyflwynodd y cerflunydd James Milo Griffith (1843-97) nifer o gerfluniau, a rhoddodd bump ohonynt i'r Amgueddfa. Bwriadwyd i'r arddangosfa ym 1870 a'r un a'i dilynodd ym 1881 godi arian i adeiladu a dodrefnu adeiladau newydd i Lyfrgell Rydd ac Amgueddfa yn Trinity Street. Agorodd yr adeiladau hynny ym 1882, mewn pryd i dderbyn y casgliad sylweddol cyntaf o gelfyddyd gain. Cymynrodd oedd hwnnw o dri deg chwech o ddarluniau, gan gynnwys *Newyddion Drwg (Y gwahanu)* gan Tissot, wedi ei gasglu ynghyd gan William Menelaus (1818-82), Partner Rheoli gwaith dur Dowlais. Yn y flwyddyn honno hefyd gwariodd yr Amgueddfa £20 ar grŵp o ddarnau porslen Abertawe a Nantgarw. Dewiswyd y rheiny gan y cemegydd a'r gwyddonydd Robert Drane (1834-1914), ac o dan ei arweiniad ef adeiladwyd casgliad o gerameg Cymru yn ystod y 1880au a'r 1890au. Ar yr un pryd, yr oedd y masnachwr ŷd a'r Undodwr James Pyke Thompson (1846-97) yn creu ei gasgliad ei hun, sef lluniau dyfrlliw o'r bedwaredd ganrif ar bymtheg gan mwyaf. Ym 1888 arddangosodd ran o'r casgliad hwnnw mewn oriel fach o'r enw Tŷ Turner, gerllaw ei gartref ym Mhenarth, ychydig filltiroedd o Gaerdydd. Yn dilyn ei ethol yn gadeirydd ei Is-Bwyllgor Celfyddyd Gain ym 1895, rhoddodd Pyke Thompson fenthyg rhan sylweddol arall o'i gasgliad i Amgueddfa ac Oriel Gelf Caerdydd. Ym 1898, cymynnodd 149 o luniau dyfrlliw, gan gynnwys *Priordy Ewenni* gan Turner, nifer fach o beintiadau olew, portffolio o ysgythriadau a thri chwpwrdd o ddarnau porslen Prydeinig ac Ewropeaidd, ynghyd â £6000 tuag at gost adeiladu oriel gelf newydd. Cafodd casgliad Pyke Thompson ei ail-uno ym 1921 pan gyflwynodd ymddiriedolwyr Tŷ Turner y tŷ a'r cynnwys i Amgueddfa Genedlaethol Cymru.

Yn ystod y bedwaredd ganrif ar bymtheg, daethpwyd i gredu'n gynyddol fod ar wledydd a fynnai fod yn wladwriaethau angen sefydliadau megis prifysgolion, llyfrgelloedd ac amgueddfeydd am resymau addysgiadol ac fel arwydd o'u cenedligrwydd. Mae Amgueddfa Genedlaethol Hwngari, a sefydlwyd mor bell yn ôl â 1802, yn enghraifft glasurol o'r cyswllt rhwng amgueddfeydd a chenedlaetholdeb. O risiau'r fan honno y lansiodd y bardd telynegol Alexander Petoefi ym 1848 y gwrthryfel yn erbyn rheolaeth y teulu Hapsburg. Yng Nghaeredin, sefydlwyd Oriel Genedlaethol yr Alban ym 1850, a dilynodd

2. **James Pyke Thompson** (1846-97)

Amgueddfa Genedlaethol yr Alban ym 1854. Yn Nulyn, dilynwyd sefydlu Oriel Genedlaethol Iwerddon ym 1854 gan Amgueddfa Genedlaethol Iwerddon ym 1877. Gan nad oedd gan Gymru ei phrifddinas, yr oedd ymwybyddiaeth genedlaethol Cymru yn arafach i ddeffro. Daeth colegau'r brifysgol yn golegau ffederal ym 1893, ac yr oedd yr angen am gael Amgueddfa a Llyfrgell Genedlaethol yn un o'r themâu yn Eisteddfod Pontypridd ym 1893. Byddai'r angen yn cael ei leisio'n rheolaidd yn Nhŷ'r Cyffredin tan 1905, pan sefydlodd y llywodraeth bwyllgor o dan y Cyfrin Gyngor i benderfynu ble y gallai sefydliad felly gael ei leoli. Yn unol â'r dyheadau hynny, yr oedd Amgueddfa ac Oriel Gelf Caerdydd eisoes wedi dechrau gwneud cynlluniau ar gyfer adeilad newydd ym Mharc Cathays. Ym 1901 penderfynodd newid yr enw i Amgueddfa Hanes Naturiol, Celfyddyd a Henbethau Cymru er mwyn i "deitl y sefydliad gydymffurfio â chymeriad cenedlaethol cynyddol ei gasgliadau". Yr oedd cael cynnig yr adeilad presennol a'r casgliadau, safle o bedair erw ym Mharc Cathays, cymynrodd Pyke Thompson ac arian ychwanegol tuag at adeiladau newydd yn ddigon i sicrhau mai yng Nghaerdydd, yn hytrach nag Abertawe neu Gaernarfon, y byddai'r Amgueddfa Genedlaethol. Ar ôl cael siarter sefydlu frenhinol ym 1907, dechreuwyd gweithio ar yr adeilad newydd ym 1912 yn ôl cynlluniau A. Dunbar Smith a Cecil C. Brewer. Tua diwedd 1922, cafodd y casgliadau celf eu trosglwyddo o Trinity Street i Amgueddfa Genedlaethol Cymru, a gafodd ei hagor yn swyddogol ym 1927 ar ôl cwblhau'r prif gyntedd a rhai o'r orielau.

Ym 1895 yr oedd Pyke Thompson wedi llunio adroddiad ar ddatblygiad y casgliadau celfyddyd gain yn Amgueddfa ac Oriel Gelf Caerdydd yn y dyfodol, ac awgrymai hwnnw strategaeth ddeuol. Cydnabyddwyd y dylai "Artistiaid lleol, ac artistiaid Cymreig boed yn fyw neu wedi marw, gael eu cynrychioli fwy neu lai yn llawn, yn ôl eu safle ym myd celf" a chyda "Phynciau lleol, dylem eto fod yn barod i'w cael, pryd bynnag y bydd y grefft yn cyrraedd safon benodol o ragoriaeth". Ychwanegodd: "Ond y tu hwnt i hynny, dylai ein dewis gael ei gyfyngu i arlunwyr blaenaf yr oes, oni fydd amgylchiadau hollol eithriadol". Ym 1906, dywedodd ei gyfaill a'i ysgutor Syr Frederick Wedmore (1844-1921), beirniad celf y *London Standard* a Chynghorydd Celf yr Amgueddfa Gymreig, mai "ein busnes yn amlwg yw cynrychioli cyn belled â phosibl y gorau yng ngwaith Cymru, cyn belled â'i fod bob amser yn cyrraedd safon ragoriaeth". Argymhellai brynu gwaith "gwych iawn gan Richard Wilson" a "Dylai arlunwyr eraill, gan gynnwys y rhai sy'n awr yn fyw, gael … eu prynu am brisiau rhesymol, fel y daw'r cyfle". Ychwanegodd Wedmore "… gan ein bod yma, fel y cyfaddefir, nid yn unig i ddangos y gwaith celfyddydol da y gall Cymru fod wedi ei gynhyrchu, ond hefyd i gynrychioli Celfyddyd yn gyffredinol – boed Seisnig, neu Dramor hyd yn oed … i sicrhau na fydd cyfnodau cyfoes Celfyddyd yn cael eu hanghofio". Ym 1907 a 1911 yr oedd siartrau sefydlu'r Amgueddfa Genedlaethol yn ail-adrodd yr angen am bolisi deuol. Yr oedd y rheiny'n dweud, er y dylai ei hamcanion "yn bennaf ac yn gyntaf fod i ddangos yn llwyr … hanes celfyddyd Cymru", y dylai'r Amgueddfa hefyd "hyrwyddo casglu diogelu a chynnal pob math o eitemau a phethau (gan gynnwys darluniau engrafiadau cerfluniau a phob math o gelfyddyd gain) boed yn gysylltiedig â Chymru neu beidio" er mwyn hyrwyddo amcanion sefydliadau addysgiadol Cymreig yn arbennig ac ymchwil lenyddol a gwyddonol yn gyffredinol. Ym 1913, dywedodd y cerflunydd o Gymro ac aelod a sefydlydd Llys Llywodraethwyr yr Amgueddfa, Syr William

3. Syr Frederick Wedmore (1844-1921)

4. Syr William Goscombe John (1860-1952)
darlun olew gan George Roilos (*bl.*1900-10),
NMW A 588

Goscombe John, hefyd y dylai: "Ganolbwyntio ar brynu gweithiau gan artistiaid sy'n gysylltiedig â Chymru... a phrynu'n achlysurol, er mwyn cymhariaeth ac astudiaeth, weithiau celfyddydol o amrywiol fathau gan artistiaid cyfoes o fri o wledydd eraill, yn rhai Prydeinig a thramor".

I helpu cywiro'r diffyg gweithiau modern yn y casgliad, ym 1907 cafodd Wedmore hawl i ddefnyddio'r llog o gymynrodd Pyke Thompson, tuag at adeiladu oriel gelf newydd, i brynu darluniau. Mentrodd Pwyllgor yr Amgueddfa obeithio "y bydd unrhyw weithiau a brynir ag ef, er o reidrwydd yn fach, o werth artistig gwirioneddol; ac... y bydd yn y diwedd yn arwain at ffurfio cronfa ddarluniau benodol sy'n deilwng o Gaerdydd". O gofio bod y swm hwn mor fach, gwnaeth Wedmore gyfres o bryniadau eithriadol effeithiol rhwng 1907 a 1920. Cynhwysai'r rheiny weithiau olew gan beintwyr Ffrengig diweddar neu gyfoes fel Courbet, Bonvin, Ribot, Boudin, Isabey, Lepine a Le Sidaner a nifer o arlunwyr Prydeinig mwyaf blaengar y dydd. Ymhlith y rheiny yr oedd *Y ferch ysgol* gan Philip Wilson Steer a gweithiau cynrychioliadol gan William Nicholson, James Pryde, Philip Connard, John Lavery a Laura Knight. Anogwyd yr Amgueddfa Genedlaethol gan y llwyddiant hwn, ac ym 1914 prynodd ei gwaith mawr cyntaf ei hun, gan wario £450 ar *Yn y Caeau ym Mehefin* gan George Clausen yn ôl awgrym Goscombe John. Yn anffodus, pan awgrymodd Wedmore brynu *Eglwys San Jacques, Dieppe* gan Sickert am £90 ym 1918, gwrthwynebwyd hynny'n gryf gan y Ceidwad Celf ceidwadol Isaac Williams (1875-1939): "Mae'n enghraifft o'r ysgol argraffiadol eithriadol y mae Syr Frederick yn ei hedmygu cymaint. Yn fy marn i, mae'r dosbarth arbennig hwn o waith yn hollol anaddas ar gyfer casgliad cyhoeddus pwysig gan nad yw'n gwneud dim ond cyffroi dychymyg eithafol nifer fach iawn o bobl sy'n camgymryd eu dioddefaint anhapus am syniadaeth artistig wirioneddol".

Ym 1902, yr oedd Pwyllgor Amgueddfa Caerdydd wedi penderfynu "fod ar y casgliadau o waith porslen a llestri pridd Cymreig ar gyfer eu datblygiad addysgol angen cyfres gynrychioliadol o eitemau ceramig Prydeinig yn gyffredinol", a chyda grant y llywodraeth gan y Bwrdd Addysg, dechreuodd grynhoi casgliad o grochenwaith Seisnig yr ail ganrif ar bymtheg a'r ddeunawfed ganrif. Ym 1904, ychwanegwyd at hwnnw gan fenthyciad o borslen Chelsea a Bow gan y banciwr W. S. de Winton (1856-1929). Ar ôl hynny, rhoes De Winton nifer o roddion, ac ym 1912 cynigiodd roi ar fenthyg i'r Amgueddfa Genedlaethol 150 o ddarnau o borslen y Cyfandir o'r ddeunawfed ganrif. Erbyn 1916, yr oedd y benthyciad, a oedd hefyd yn cynnwys nifer o ddarnau Seisnig, wedi tyfu i dros ddwy ddwy fil o eitemau, a blwyddyn yn ddiweddarach gwnaed hwnnw'n rhodd, a pharhaodd de Winton i ychwanegu ati tan ei farw ym 1929. Trawsnewidiwyd cymeriad a chynnwys y casgliad cerameg gan gasgliad de Winton. Ei gryfder yw ei bwysigrwydd dogfennol gan ei fod yn cynnwys yn bennaf ddarnau wedi eu marcio. Meddai Bernard Rackham (1876-1964), Ceidwad Cerameg yn Amgueddfa Victoria ac Albert ym 1919: "mae gan yr Amgueddfa Genedlaethol nawr... y casgliad cyhoeddus gorau yn y Deyrnas o borslen y Cyfandir, ar wahân i ffigurau... mae'r adrannau porslen Almaenaidd, yn enwedig Meissen cynnar... ac Anspach, Ludwigsburg a'r adran Isalmaenaidd yn arbennig o gryf... yr wyf yn amheus a oes gan unrhyw Amgueddfa yn yr Isalmaen well casgliad. Nid gormodiaith yw dweud bod raid i fyfyrwyr porslen y Cyfandir nawr deithio i Gaerdydd... rhaid llongyfarch yr Amgueddfa Gymreig ar gael casgliad sy'n deilwng o gasgliad cenedlaethol". Ym

5. Wilfred de Winton (1856-1929)

1913-14, trefnodd yr Amgueddfa Genedlaethol ddwy arddangosfa gelf fawr yn ei horiel dros dro yn Neuadd y Ddinas Caerdydd a oedd yn cwmpasu'r polisi o gynrychioli "arlunwyr Cymreig, boed yn fyw neu wedi marw" a "pheintwyr gorau'r dydd". Mewn gwirionedd, yr ail oedd *Exhibition of Works by certain Modern Artists of Welsh Birth or Extraction*, a drefnwyd rhwng 5 Rhagfyr 1913 a 28 Chwefror 1914, ond dechreuwyd ei chynllunio'n gynharach. Mae'n debyg i'w chylch gwaith gael ei awgrymu gan lyfr T. Mardy Rees *Welsh Painters, Engravers, Sculptors (1527-1911)*, a gyhoeddwyd yng Nghaernarfon ym 1912. Cynhwysai'r arddangosfa hon wyth deg un o weithiau gan dri deg chwech o arlunwyr. Y craidd oedd gweithiau gan Goscombe John, Frank Brangwyn a Christopher Williams yn cael eu hehangu, ar gorn eu cyndeidiau Cymreig, gan G. F. Watts, Arthur Hughes a Syr Edward Burne-Jones. Y peintiwr mwyaf blaengar a gynhwyswyd oedd Augustus John, a chyfrannodd ei noddwr, yr Arglwydd Howard de Walden, £100 tuag at dreuliau'r sioe. Ychydig amser a gafwyd i drefnu'r arddangosfa o dan y teitl anhysbys *Loan Exhibition of Paintings* a gynhaliwyd rhwng 4 Chwefror a 28 Mawrth 1913, a deilliai o awgrym gan y peintiwr Murray Urquhart (1880-1972) yn ystod y mis Rhagfyr blaenorol. Ar wahân i ddwsin neu ragor o weithiau ar fenthyg gan Wedmore a ffynonellau eraill, hwn mewn gwirionedd oedd début y casgliad eithriadol gan Gwendoline Davies (1882-1951) a Margaret Davies (1884-1963), wyresau David Davies o Landinam (1818-90), sef y dyn a wnaeth ei ffortiwn yn contractio. Cytunodd y chwiorydd nid yn unig i roi benthyg eu darluniau, ond, yn eu dull hael arferol, addawodd y ddwy dalu am yr arddangosfa. Cynhwysai hon chwe deg un o weithiau gan saith ar hugain o arlunwyr, gan gynnwys Constable, Raeburn, Romney, Turner a Wilson. Y craidd oedd grwpiau mawr o beintiadau gan Corot, Daumier, Millet, Whistler a Monet, dau gerflun gan Rodin ac amrywiol dirluniau a golygfeydd *genre* gan arlunwyr y Cyfandir o ddiwedd y bedwaredd ganrif ar bymtheg. Prin yr oedd arddangosfa o'r fath o gelfyddyd Ffrengig wedi ei gweld cyn hynny ym Mhrydain o gwbl, ac achosodd hynny i Hugh Blaker (1873-1936), curadur Amgueddfa Holburne of Menstrie yng Nghaerfaddon a chynghorydd y chwiorydd Davies, fynegi, "Prin bod angen dweud mai'r arddangosfa yw'r digwyddiad artistig mwyaf yn hanes Cymru". Er bod papurau lleol wedi rhoi arolygon llai ffafriol i'r arddangosfa na'r wasg genedlaethol, cafwyd niferoedd da, sef 26,073 o ymwelwyr, gan gynnwys 3,489 o blant ysgol; cyfartaledd o fwy na 500 o bobl bob dydd. Er ei bod wedi ei galw yn "atyniad mawr ac... yn cael ei gwerthfawrogi'n fawr", yr oedd *Exhibition of Works by certain Modern Artists of Welsh Birth or Extraction* yn llai llwyddiannus. Yn ystod y gaeaf dilynol, bu 15,328 o ymwelwyr yn ei gweld, a 427 yn unig ohonynt yn blant ysgol. Cyfartaledd o lai na 200 o bobl y dydd.

Yr oedd y chwiorydd Davies wedi dechrau casglu ym 1908, ac ar y cychwyn o blaid gweithiau gan beintwyr Prydeinig parchus o'r ganrif flaenorol yn ogystal â Corot, Millet ac arlunwyr Ffrengig eraill a oedd wedi ymsefydlu. Anogodd Blaker hwy i ddatblygu diddordeb yn Daumier, Manet a Rodin. Ym 1912-13, torrwyd tir newydd a phrynwyd gwaith cynnar gan Manet, *Y Ferch o Baris* gan Renoir, pedwar gwaith efydd a dau waith marmor gan Rodin a saith gwaith diweddar gan Monet. Parhaodd y chwiorydd i brynu'n frwd yn ystod y Rhyfel Byd Cyntaf, gan grynhoi casgliadau nodedig o weithiau gan Daumier, Carrière ac Augustus John a gweithiau ychwanegol gan Manet, Renoir, Monet a Rodin. Cwblhawyd eu casgliad fwy neu lai ym 1918-20 drwy ychwanegu tri gwaith olew

6. Gwendoline Davies (1882-1951)

7. Margaret Davies (1884-1963)

a dau ddyluniad gan Cézanne, grwpiau cynrychioliadol gan Pissarro a Vlaminck a llun arbennig *Y Glaw yn Auvers* gan van Gogh. Nid yw'n sicr pryd yr ystyriodd Gwendoline a Margaret Davies am y tro cyntaf adael eu casgliad i Amgueddfa Genedlaethol Cymru, ond rhoesant fenthyg *Y Gusan* a *Lledrithiau wedi disgyn i'r ddaear* gan Rodin ar ddiwedd eu harddangosfa ym 1913. Erbyn y flwyddyn ddilynol, yr oeddent hwy a'u brawd David eisoes yn cymryd rhan flaenllaw ym musnes y sefydliad, a chyda'i gilydd rhoesant y swm o £5000 i gyfrif adeiladau'r amgueddfa, ychydig yn fwy na grant y Trysorlys o £4800 ac agos i hanner cyfanswm y derbyniadau am y flwyddyn. Rhoddodd y chwiorydd £5000 yn ychwanegol ym 1916, a grant y Trysorlys tuag at wariant cyfalaf y flwyddyn honno oedd £18,800, a chyfanswm y rhoddion eraill tuag at y gronfa adeiladau oedd ychydig yn llai na £3500. O gofio am anawsterau ariannol yr amgueddfa, ym 1919 cynigiodd Gwendoline Davies gymorth drwy'r Gronfa Genedlaethol Casgliadau Celf i brynu'r cartŵn ar gyfer y gwaith pwysig gan Augustus John *Cofeb ryfel Canada*. Hyd yn oed gyda'r cymorth hwn, yr oedd y pris prynu o £2500 ymhell y tu hwnt i allu'r sefydliad. Ym 1925, ddwy flynedd cyn agoriad swyddogol adeilad newydd yr amgueddfa, cynyddodd y chwiorydd yr arddangosfeydd celf drwy roi benthyciad ychwanegol dros gyfnod hir o naw o weithiau olew gan Augustus John ac un gan Brangwyn. Cyflwynwyd y darluniau hyn, y gweithiau gan Rodin a fenthyciwyd ym 1913, dau waith pellach gan y cerflunydd ac un gan Burne-Jones yn rhodd gyflawn ym 1940, a'r rheiny oedd y gweithiau cyntaf o'r casgliad Davies i fynd i'r Amgueddfa.

Ym 1913, gydag arweiniad nodyn Goscombe John ar *The Method of Purchasing Works of Art* a rhestr ddrafft o arlunwyr wedi eu geni yng Nghymru neu o dras Gymreig ac wedi ei pharatoi gan ei gyfaill y peintiwr T. H. Thomas (1839-1915), gwnaeth yr Amgueddfa Genedlaethol ychwanegiad eithriadol i'w chasgliad o beintiadau Cymreig drwy brynu *Castell Caernarfon* gan Richard Wilson am £380. Yn ystod y Rhyfel Byd Cyntaf, cwtogwyd grant prynu'r sefydliad i lai na £300 ym 1917. Er gwaethaf adferiad rhannol, anaml y cyrhaeddodd y swm hwnnw fwy na £2000 y flwyddyn yn ystod y blynyddoedd rhwng y ddau ryfel, a disgynnodd i lai na £1000 yn ystod yr Ail Ryfel Byd heb adfer ei swm uchaf o £2393 ym 1915 tan 1951. Ym 1919-20, cyfanswm y grant ar gyfer enghreifftiau a llyfrau oedd £1114 yn unig, gan achosi i'r Ceidwad Celf gwyno wrth ei bwyllgor am "amhosibilrwydd llwyr ceisio adeiladu Casgliad Celf Cenedlaethol Cymreig sy'n haeddu'r enw ar y symiau chwerthinllyd o fach sydd ar gael i'r diben hwnnw". O dan yr amgylchiadau hynny, nid oedd gan yr Amgueddfa ddewis ond canolbwyntio ar brynu printiadau o'r ddeunawfed ganrif a'r bedwaredd ganrif ar bymtheg, dyluniadau a pheintiadau olew o bynciau Cymreig am brisiau cymharol rad, gydag ambell bryniant unigol mwy uchelgeisiol bob yn awr ac yn y man, gan gynnwys gweithiau olew gan Richard Wilson am £273 ym 1925, £300 ym 1936 a £525 ym 1937: gwaith marmor gan John Gibson am £175 ym 1928 a gwaith cofeb gan Penry Williams am £40 ym 1933. Pan ymddangosodd dau ddarlun anorffenedig gan Burne-Jones yn arwerthiant yr Arglwydd Leverhulme ym 1926, prynodd Syr William Goscombe John y ddau i'r Amgueddfa ac ad-dalwyd £86 16s iddo gan gyngor diolchgar ond tlawd. I'r gwrthwyneb, yn ystod y blynyddoedd rhwng y ddau ryfel, yr oedd rhoddion yn ffynhonnell bwysicach o ran cael cyfraniadau. Rhoddwyd *Golwg ar Dover* gan Richard Wilson gan danysgrifwyr ym 1928 a'r Gronfa Genedlaethol Casgliadau Celf a dalodd y rhan fwyaf o'r costau am ei *Tref a chastell Penfro* ym

8. Ernest Morton Nance (1868-1952)

1930. Goscombe John oedd y rhoddwr mwyaf rheolaidd o bell ffordd, a rhoddodd gannoedd o gerfluniau, printiadau, peintiadau a dyluniadau mewn cyfres o roddion blynyddol bron rhwng 1911 a 1948. Yn ogystal â llawer o'i waith ei hun, cynhwysai hynny grŵp arbennig o gerfluniau gan ei gyfeillion yn y mudiad Cerflunio Newydd a gweithiau efydd gan Carpeaux a Rodin. Ei rodd fwyaf arbennig oedd y gwaith efydd eithriadol *Icarus* gan Alfred Gilbert a gyflwynwyd ym 1938. Rhwng 1929 a 1935, rhoddodd y peintiwr Frank Brangwyn hefyd roddion hael o'i waith ei hun gan gynnwys y cartwnau anferth *Dryll trwm ar waith* a *Tanc ar waith*. Rhoddwr pwysig arall yn ystod y cyfnod rhwng y ddau ryfel oedd y casglwr F. E. Andrews o Gaerdydd (1858-1943), ac ymhlith ei roddion yr oedd sawl darn mawr o waith cerameg Cymreig a chasgliad gwych o ddarnau ifori o'r Canol Oesoedd a rhai diweddarach.

Penodwyd Ceidwad Celf Cynorthwyol cyntaf yr Amgueddfa, David Baxandall (1905-92) ym 1928. Meddai'n ddiweddarach: "Yr oeddwn yn ifanc iawn ac yn frwd iawn dros David Jones, Ben Nicholson ac ychydig eraill o'r mathau 7 & 5, ond ni wyddwn am neb yng Nghymru nad oeddent, *pe baent* yn gwybod am eu gwaith, yn credu mai ffolineb oedd'. Pan gynigiwyd rhodd o ddyluniadau cyfoes i bwyllgor Celf ac Archaeoleg yr Amgueddfa ym 1932, gan gynnwys dau waith gan David Jones, "dechreuodd pobl golli eu tymer". "Ymbiliodd a dadleuodd Baxandall am amser hir yn ôl pob tebyg… ac yn y diwedd derbyniwyd y rhodd yn gyndyn". Ym 1935, dechreuodd ymwybyddiaeth y cyhoedd am gelfyddyd fodern wella gyda sefydlu'r hyn a oedd i'w alw wedyn yn Gymdeithas Celfyddyd Gyfoes Cymru, a drefnodd *Contemporary Welsh Art Exhibition* yn Aberystwyth, Abertawe a'r Amgueddfa Genedlaethol. Uchafbwyntiau'r arddangosfa hon o 202 o eitemau oedd gweithiau gan J. D. Innes, Cedric Morris, David Jones, Gwen John, ac yn anad neb arall, Augustus John. O'r arddangosfa honno, prynodd yr Amgueddfa waith olew gan Gwen John am £20 a phrintiadau gan Blair Hughes-Stanton a David Jones. Yn ystod yr un flwyddyn, cyflwynodd y Gronfa Genedlaethol Casgliadau Celf y gwaith *Canigou yn yr eira* gan J. D. Innes. Ym 1936, rhoddodd y Gymdeithas Celfyddyd Gyfoes i'r Amgueddfa Genedlaethol y dyluniad cyntaf gan Augustus John i'w roi yn ei chasgliad parhaol, ac yna waith gan Winifred Nicholson a dyluniad gan Henri Gaudier-Brzeska ym 1938 a phortread arbennig Augustus John o *Dylan Thomas* ym 1942. Un o gyfeillion Baxandall oedd Jim Ede (1895-1990), y curadur o Gaerdydd a'r awdurdod ar gelfyddyd gyfoes, a oedd yn fwyaf adnabyddus am adfer Gaudier-Brzeska a sefydlu Oriel Kettle's Yard yng Nghaergrawnt. Ym 1940, flwyddyn ar ôl ei benodi'n Geidwad Celf ac ychydig cyn iddo ymuno â'r Llu Awyr am weddill y Rhyfel, trefnodd Baxandall arddangosfa o gasgliad Ede o gerfluniau a dyluniadau Gaudier-Brzeska. Yn ystod yr Ail Ryfel Byd, rhoddwyd casgliadau celf cychwynnol yr Amgueddfa mewn lle diogel, ond trefnwyd cyfres o arddangosfeydd o gelfyddyd gyfoes yn bennaf yn adeilad Parc Cathays gyda chymorth cyrff megis y Gymdeithas Celfyddyd Gyfoes, Cymdeithas Gelfyddyd Gyfoes Cymru a'r Cyngor Annog Cerddoriaeth a'r Celfyddydau.

Yn fuan ar ôl diwedd y rhyfel, prynwyd portread grŵp *Williams-Wynn* gan Batoni am £230 o arwerthiant Wynnstay, a chyflwynwyd i'r Amgueddfa gan y Gronfa Genedlaethol Casgliadau Celf bortread o *Richard Wilson* gan Mengs o'r un casgliad. Gan fod y grant prynu yn dal ar y lefel cyn y Rhyfel neu'n is, yr oedd rhoddion megis cymynrodd Nettlefold ym 1947 o weithiau efydd a rhoddion gan Taylor a Clark o weithiau porslen Prydeinig yn dal yn ffynhonnell bwysicach

9. Derek Williams (1930-84)

o gyfraniadau. Ym 1952, cafodd casgliad yr Amgueddfa o weithiau cerameg Cymreig ei ddyblu gan gymynrodd Morton Nance. Ganed Ernest Morton Nance (1868-1952) yng Nghaerdydd, ac ef oedd awdur y gwaith nodedig *Pottery and Porcelain of Swansea and Nantgarw* a gyhoeddwyd ym 1942. Yr oedd ei gymynrodd, a gynhwysai nifer o ddarnau prin a rhai y gellid eu holrhain, yn cadarnhau swyddogaeth faith yr Amgueddfa fel y prif gasgliad cyhoeddus o borslen a chrochenwaith Cymreig.

Hefyd ym 1952, rhoddwyd casgliad Gwendoline Davies o 109 o beintiadau, dyluniadau a cherfluniau i'r Amgueddfa ac yn yr *Adroddiad Blynyddol* dywedwyd: "Drwy'r rhodd anrhydeddus hon, mae cymeriad yr Adran Gelf wedi ei drawsnewid, ac erbyn hyn mae'n uchel ymhlith prif gasgliadau celf Prydain Fawr". Gan ymateb i'r her hon, ym 1957 ceisiwyd cael cymorth y Gronfa Genedlaethol Casgliadau Celf, diwydiant lleol a thanysgrifwyr preifat i godi £6450, dros dair gwaith yn fwy na'r grant prynu blynyddol arferol, i brynu *Bacino di San Marco* gan Canaletto. Yn ystod y 1950au dechreuodd yr Amgueddfa brynu darnau mawr o weithiau arian Cymreig yr oedd eu tarddiad yn hysbys er mwyn ychwanegu at y casgliad benthyg mawr a roddwyd ym 1922 gan Syr Charles Jackson (1840-1923) o Drefnwy, awdur yr hyn sydd o hyd yn waith safonol ar ddilysnodau Prydeinig. Ymhlith yr eitemau a brynwyd yr oedd canwyllbrennau o Gastell Powys, a brynwyd am £3600 ym 1959, a set doiled Williams Wynn, a gostiodd £8000 bum mlynedd yn ddiweddarach. Ym 1962, prynodd yr amgueddfa ei heitemau celfyddyd fodern fwyaf anturus am yn agos i ddeugain mlynedd: *Dorelia yn yr ardd yn Alderney Manor* gan Augustus John am £8820 a *Motiff unionsyth rhif 8* gan Henry Moore am £3800. Yn gynnar ym 1963, bu farw Margaret Davies a gadawodd 151 o beintiadau, dyluniadau a cherfluniau gan ail-uno'r casgliad eithriadol yr oedd wedi ei grynhoi ar y cyd â'i chwaer Gwendoline. Unwaith eto, gyda'r trawsnewid hwn yn y casgliad, anogwyd yr Amgueddfa i brynu'r eitem fwyaf eithriadol tan hynny: *Tirlun gyda Chastell Ubbergen* gan Cuyp, a brynwyd ym 1963 gyda chymorth grant arbennig gan y Trysorlys am £22,000. Wedyn, gwelwyd gwelliant sylweddol parhaol yng ngrym prynu'r amgueddfa. Ym 1972-3, cynyddwyd grant y Swyddfa Gymreig i'r gronfa brynu o £64,000 i £100,000 "i ymateb i ddadl... bod y daliadau o gelfyddyd yr ugeinfed ganrif yn annigonol a bod angen ychwanegu atynt". Drwy gydol y 1970au ac i'r 1980au, parhaodd y cynnydd hwn yn yr adnoddau yn uwch na chwyddiant, ac adlewyrchwyd hynny mewn cyfres o eitemau arbennig a brynwyd. Ymhlith yr enghreifftiau yr oedd *Y fasg wag* gan Magritte ym 1973, *Y Forwyn a'r Plentyn* gan Cima a chostrel a basn Mostyn ym 1977, *Astudiaeth ar gyfer hunan-bortread* gan Bacon ym 1978, *Afon Tafwys yn Llundain* gan Monet ym 1980, *Tirlun gyda Sant Philip yn bedyddio'r eunuch* gan Claude ym 1982, *Y Forwyn a'r Plentyn rhwng y Santes Helena a Sant Francis* gan Aspertini ym 1986 a *Darganfod Moses* gan Poussin a brynwyd ar y cyd â'r Oriel Genedlaethol ym 1988. Ym 1984, cafodd y casgliad o ddarluniau Prydeinig yr ugeinfed ganrif a oedd wedi eu crynhoi gan y syrfewr siartredig o Gaerdydd Derek Williams (1930-84) ei osod ar fenthyg yn yr Amgueddfa Genedlaethol a defnyddiwyd gweddill ei ystad sylweddol i sefydlu ymddiriedolaeth i'w ddatblygu a'i gwella'n barhaus. Yn gynnar ym 1993, rhoddodd Ymddiriedolwyr Ystad Derek Williams eu hychwanegiad cyntaf at y casgliad hwn, sef y gwaith anferth gan Michael Andrews *Yr Eglwys Gadeiriol, yr Wynebau Deheuol/Uluru (Ayres Rock)*. Mae'r fenter newydd hon yn argoeli'n dda ar gyfer datblygiad parhaus arddangosiadau'r Amgueddfa o gelfyddyd gyfoes.

Er bod y Casgliad Davies wedi cyrraedd ym 1952 a 1963, ni welwyd cynnydd digonol yn y lle i arddangos a storio gweithiau celf. Gwaethygwyd y prinder hwnnw gan dwf dramatig pellach yn y daliadau o beintiadau a cherfluniau, a welwyd yn dyblu bron o ran nifer rhwng 1955 a 1987, gan olygu fod orielau wedi eu cau i greu lle storio dros dro. Yr oedd y casgliadau cerameg hefyd wedi tyfu ar raddfa debyg rhwng 1942 a 1987. Drigain mlynedd ar ôl ei hagor ym 1927, yr oedd asgell ddwyreiniol yr amgueddfa fwy neu lai wedi dod i ddiwedd ei chyfnod cyntaf. Yr oedd y to yn gollwng dŵr, yr oedd y gwifrio yn hen a'r amodau amgylcheddol ac arddangosiadol yn hollol annigonol. Yn y flwyddyn honno, cytunodd y Swyddfa Gymreig i dalu am waith trwsio cynhwysfawr yn adeilad Parc Cathays gan osod offer awyru yn yr hen orielau ac adnewyddu'r goleuadau, adeiladu mannau newydd wrth gefn a chyfleusterau cadwraeth ac adeiladu saith oriel gelf ychwanegol. Cwblhawyd y rhan gyntaf a'r ail ran ym 1990 a 1991, a dilynwyd hynny gan y rhan derfynol a'r rhan fwyaf yn ystod yr hydref 1993. Ar ôl dros ganrif o dwf, mae'r casgliad celf o'r diwedd wedi cael llety sy'n gweddu i'w safon. Gobeithio y bydd ei ddatblygiad yn y dyfodol yn deilwng o weledigaeth a haelioni ei sefydlwyr.

10. Cwpan cymun a phlât
1230-50
arian gilt
U (cwpan) 18.3 cm, AR DRAWS
(plât) 18.5 cm
Mae'r cwpan cymun a'r plât hwn, a ddarganfyddwyd ar ochr y mynydd yng Nghwm Mynach ger Dolgellau ym 1890, ymhlith y darnau gorau o blât y 13edd ganrif sydd ar gael heddiw. Credir mai yn Lloegr yn cawsant eu gwneud, a hwyrach ar gyfer mynachod, ond mae eu tarddiad yn ddirgelwch. Ar droed y cwpan cymun mae "NICOL'US.ME.FECIT.DE HERFOR-DIE" (Nicholas o ? Henffordd a'm gwnaeth) wedi ei engrafio.
Ar fenthyg oddi wrth Ei Mawrhydi Y Frenhines. NMW A (L) 426

1. Celfyddyd yng Nghymru o'r Canol Oesoedd i Oes y Goleuni

10

Yr oedd Cymru yn y Canol Oesoedd yn lle nodedig o dlawd ac anhrefnus yn wleidyddol, wedi ei rhannu o'r unfed ganrif ar ddeg rhwng y tywysogion brodorol, arglwyddi Normanaidd y Mers a chylch brenhinol cynyddol Brenin Lloegr. Bach a phrin oedd y trefi, a'r esgobaethau'n dlawd ac yn wasgaredig. Ar ôl marw tywysog brodorol olaf Cymru, Llywelyn ap Gruffydd ym 1282, ehangodd y teulu Plantaganet eu hawdurdod a'i atgyfnerthu. Ym 1400, cymerodd Owain Glyndŵr deitl Tywysog Cymru ac am gyfnod byr rheolai Gymru bron yn gyfan. Ar ôl ei drechu, gorfododd Henry V gyfreithiau llym i geisio atal rhagor o wrthryfela. Fodd bynnag, ym 1485, dechreuodd Harri Tudur ei ymgyrch lwyddiannus yn erbyn Richard III gan orymdeithio o Aberdaugleddyf i Amwythig. Gwnaed i adeiladwaith cyfreithiol a gweinyddol Cymru gydymffurfio'n derfynol â'r drefn yn Lloegr o dan Henry VIII gan Ddeddfau Uno 1536 a 1543.

Yng Nghymru, Tyndyrn a Thyddewi yn unig a all gymharu ag abatai ac eglwysi cadeiriol gwych y Gororau megis yng Nghaerloyw, Tewkesbury, Henffordd, Caerwrangon a Chaer. Ond i'r gwrthwyneb, y cylch cestyll a osodwyd gan Edward I o gwmpas Gogledd Cymru o'r Fflint i Harlech oedd y caerau mwyaf nodedig yn Ewrop yn y drydedd ganrif ar ddeg. Yn

ystod y Canol Oesoedd, byddai noddwyr hirben ar hyd a lled Gogledd Ewrop yn prynu peintiadau, tapestrïau a llawysgrifau addurniedig o'r prif weithdai yn ninasoedd Ffleminaidd Ghent a Bruges. Un o'r comisiynau Prydeinig mwyaf arbennig yn y bymthegfed ganrif oedd triptych Hans Memling a brynwyd gan Syr John Donne o Gydweli tua 1480 ac sydd erbyn hyn yn yr Oriel Genedlaethol yn Llundain. Yr oedd brawd-yng-nghyfraith Donne, William yr Arglwydd Hastings, yn gyfaill agos i Edward IV, Siambrlen Gogledd Cymru a chwnstabl Castell Harlech. Mae ei lyfr oriau Ffleminaidd gwych, sydd erbyn hyn yn y Llyfrgell Brydeinig, yn cynnwys mân-ddarlun prin o faint tudalen lawn o *Dewi Sant*. Byddai Henry VII a Henry VIII yn gynyddol yn troi at y meistri Eidalaidd, ond yr oedd yr Iseldiroedd yn parhau yn brif ffynhonnell arlunwyr a gweithiau celf i noddwyr Prydeinig drwy gydol y Dadeni. Ymhlith y comisiynau Cymreig eithriadol tua chanol yr unfed ganrif ar bymtheg yr oedd costrel a basn arian o Bruges gydag arfbais y teulu Mostyn o Sir y Fflint a phortread o *Catrin o Ferain*, wedi ei beintio, mae'n debyg gan arlunydd o Friesland, Adriaen van Cronenburgh.

Yr oedd y Tuduriaid yn frwd dros eu hynafiaeth, gan ymgorffori'r ddraig goch fel un o'r ffigurau cynhaliol yn arfau Lloegr. Anogodd eu goresgyniad i'r orsedd yr uchelwyr Cymreig i dyrru i Lundain. Enghraifft nodweddiadol, os arbennig, yw'r teulu Cecil o Alltyrynys. Ym 1507, gwnaed David Cecil yn Iwmon Siambr i Henry VII. Ei ŵyr, William Cecil, y barwn Burghley, oedd prif weinidog Elizabeth I. Yr oedd gan yr Arglwydd Burghley ddiddordebau busnes yng Nghymru ac yr oedd yn falch o'i hanes teuluol. Ond cododd ei gartrefi gwych yn Burghley House a Theobalds Park ar ei ystadau yn Lloegr. Er i James I annog gwisgo cennin gan Gymry ar Ŵyl Ddewi fel "arferiad da a chanmoladwy", gyda'i oresgyniad ef i'r orsedd ym 1603 daeth i ben gyfnod o ddylanwad Cymreig yn y llys.

Yr oedd pensaernïaeth seciwlar a cherflunio beddrodau yn ffynnu ym Mhrydain yn ystod y ddwy ganrif ar ôl y Diwygiad, ond dirywio yr oedd peintio ar raddfa fawr. Mae'r paneli beddrod sylfaenol gydag aelodau o'r teulu Stradling a wnaed ym 1590 ar gyfer eu capel yn Eglwys Sain Dunwyd, Llanilltud Fawr yn enghreifftiau rhanbarthol nodweddiadol o beintio cofebau o ddiwedd cyfnod Elizabeth. Yr oedd darluniaeth yn dal yn boblogaidd ym Mhrydain Brotestannaidd, ac ni ellir gwadu deniadrwydd portreadau o ddiwedd yr unfed ganrif ar bymtheg a dechrau'r ail ganrif ar bymtheg megis *Henry Herbert, Ail Iarll Penfro* a *Syr Thomas Mansel a'i wraig Jane*. Fodd bynnag, prin y gellir cymharu gweithiau felly â pheintiadau o ddyddiad tebyg o'r Cyfandir. Yr oedd prif gyfraniad Prydain i beintio cyfnod y Dadeni ym maes portreadau mân-ddarlun. Cyflwynwyd y dull celfyddydol hwn ym 1528-43 gan yr arlunydd Ffleminaidd Lucas Horenbout a'r Almaenwr Hans Holbein, ac yr oedd yn ffynnu yn ystod teyrnasiad Elizabeth I a theyrnasiad James I, drwy lwyddiannau eu harlunwyr llys, Nicholas Hilliard ac Isaac Oliver.

Er gwaethaf ei anallu gwleidyddol, Charles I oedd noddwr brenhinol mwyaf y celfyddydau yn hanes Prydain. Comisiynodd y brenin y gwaith anferth *Apotheosis James I* gan Syr Peter Paul Rubens ar gyfer nenfwd y Tŷ Gwledda a oedd newydd ei adeiladu gan Inigo Jones yn Whitehall. Ym 1632, cyflogwyd Cornelius Johnson, o deulu Ffleminaidd ac wedi ei hyfforddi mae'n debyg yn yr Isalmaen, yn "Beintiwr y Brenin". Yn yr un flwyddyn, cafodd disgybl dawnus Rubens, Anthony Van Dyck ei gyflogi fel ei "Brif Beintiwr Cyffredinol". Cerflunydd llys Charles oedd y Ffrancwr Hubert Le Sueur, a oedd cyn hynny wedi gwasanaethu Louis XIII. Hwyrach fod ei ddyfodiad i Lundain ym 1625 yn gysylltiedig â llysgenhadaeth y Cymro, yr Arglwydd Herbert o Cherbury, ym Mharis ym 1622-24. Yr oedd yr Arglwydd Herbert yn un o gymeriadau mwyaf lliwgar llys cynnar y Stiwartiaid ac yn noddwr arbennig, gan gomisiynu un o'r mân-ddarluniau mwyaf a mwyaf arbennig gan Isaac Oliver ym 1610-14, yn ogystal â phenddelw efydd gan Hubert Le Sueur ym 1631.

Yr oedd y llys yn ganolog bwysig i gelfyddyd Brydeinig yn yr ail ganrif ar bymtheg, a bu'r Rhyfel Cartref a'r Llywodraeth Warcheidiol yn gyfrifol am ddisodli'n ddifrifol y patrymau nawdd. Ar ôl yr Adferiad, gwelwyd "adeiladu prysur" yn Ninas Llundain, a oedd wedi ei dinistrio gan dân, ac yn y rhanbarthau. Y plastai Baroc mwyaf arbennig yng Nghymru yw Tŷ Tredegar ger Casnewydd a adeiladwyd ar gyfer Syr William Morgan ym 1664-72 a Chastell Powys, a gafodd ei ail-lunio'n llwyr ar gyfer William, y trydydd Arglwydd Powys, o 1665. Tua diwedd yr ail ganrif ar bymtheg, prin y gellid disgrifio dim fel ysgol beintio "Brydeinig" frodorol. Fel o'r blaen, o wledydd tramor y deuai'r peintwyr mwyaf arbennig. Yr oedd Syr Peter Lely, a ddaethai'n "Brif Beintiwr" i Charles II ym 1661, wedi ei eni yn Westphalia ac wedi bod yn brentis yn Haarlem. Deuai ei olynydd, Syr Godfrey Kneller, o Lübeck a bu'n astudio yn yr Isalmaen a'r Eidal cyn dod i Loegr ym 1676. Y ddau bortreadydd blaenllaw arall tua diwedd yr ail ganrif ar bymtheg a dechrau'r ddeunawfed ganrif oedd John Closterman, o Osnabrück a fu'n cael hyfforddiant ym Mharis, a Michael Dahl o Sweden a deithiodd i Baris, Fenis a Rhufain cyn ymsefydlu yn Llundain ym 1689. Mae gwaith arian Charles II hefyd yn dibynnu'n drwm ar fodelau o'r Iseldiroedd. Yr oedd hanes Baroc a pheintio addurnol ym Mhrydain yn yr un modd wedi dod o dan ddylanwad yr arlunwyr tramor Antonio Verrio a Louis Laguerre, nes i'w cynorthwy-ydd, Syr James Thornhill, sefydlu ei enw da yn ystod degawd cyntaf y ddeunawfed ganrif. Fel eu cyfoeswyr yn Lloegr a'u perthnasau, byddai gwŷr bonheddig o Dde a Gogledd Cymru yn troi at y peintwyr tramor hyn a oedd yn byw yn Llundain pan fyddai arnynt angen portreadau ffasiynol. Ymhlith yr enghreifftiau y mae Syr John Aubrey o Lantriddyd ger y Bont-faen, a Syr Roger Mostyn o Neuadd Mostyn, Sir y Fflint, y gwelir eu portreadau gan Closterman a Kneller yn yr Amgueddfa Genedlaethol.

AN° DNI 1568

11

12. Costrel a basn, Bruges
*c.*1561
arian, gilt parsel, marc
gwneuthurwr: P gyda chylch
uwchben cragen
U (costrel) 21.3cm, AR DRAWS
(basn) 49.1cm

Mae'n bosibl fod y darnau gwych
hyn o waith arian y Dadeni yn
Fflandrys, a ddefnyddid yn
wreiddiol i olchi'r dwylo mewn
seremoni wrth y bwrdd, yn nwylo'r
teulu Mostyn o Fostyn, y Fflint ers
y 1560au. Ar y basn mae arfau
William Mostyn (m.1576), ac
mae'n debyg mai'r rhain yw'r
"hen fasn arian a'r gostrel gilt
parsel" a nodwyd mewn ewyllys
ym 1617.
Prynwyd 1977. NMW A 50,490 a
50,491

12

Tua diwedd yr ail ganrif ar bymtheg, gwelwyd mentrau
diwydiannol yn amlhau ar ystadau ar hyd a lled Cymru, ac ar
ôl 1700, daeth cloddio am lo, haearn, plwm a chopor â chyfoeth
newydd a hyder i rannau o Sir Fynwy, Morgannwg, Sir Gaer-
fyrddin, Sir Aberteifi a'r Fflint. Anogodd hynny lawer o'r gwŷr
bonheddig, a oedd wedi ymroi i fasnachu, heddwch a threthi
isel, at dueddiadau Torïaidd, a gâi eu ffurfioli drwy gymdeithas-
au fel y 'Sea Sergeants' a 'Cycle'. Dirywiodd y llys o ran pwysig-
rwydd ar ôl dyfodiad George I i'r orsedd ym 1714, ond
parhaodd Llundain yn brif ffynhonnell nwyddau moethus fel
portreadau, gwaith arian a phorslen wedi ei fewnforio o Tseina.
Yr oedd yr arlunwyr a noddid gan uchelwyr Cymru erbyn hyn
yn Saeson gan mwyaf yn hytrach nag o'r Cyfandir. Cafodd
Robert Jones, sgweiar Ffwl-y-mwn, Morgannwg, ei beintio
gyda'i deulu gan Hogarth ym 1730, ac ymhlith y portreadau yn
yr Amgueddfa Genedlaethol o gyfnod cynnar George, mae
gweithiau gan Hudson, Highmore a Richardson. Yn y 1690au,
dechreuodd gofaint arian Huguenot a oedd wedi symud i'r wlad
gyflwyno clasuriaeth a chofebaeth Baroc Ffrengig mewn llestri
arian Seisnig, a dechreuodd y rheiny yn eu tro ildio'r ffordd i
fywiogrwydd y dull Rococo yn y 1730au. Adlewyrchir hyn yn y
gwaith arian a wnaed ar gyfer teuluoedd Trevor o Fryncunallt,
Powys, y Teulu Powell o Nanteos, Kemys-Tynte o Gefnmabli a
Williams Wynn.

14

13

13. Isaac Oliver (*c*.1565-1617)
Henry, Tywysog Cymru
gwm arabig ar femrwn wedi ei
osod ar gerdyn
6.6 × 5.3 cm
Ganed Oliver yn Rouen a daeth
i Lundain pan oedd yn blentyn. Yr
oedd yn bortreadydd mân-
ddarluniau yn y Llys o 1604 ac yn
aelod o osgordd Tywysog Cymru.
Bu farw mab hynaf James 1, y
Tywysog Henry (1594-1612), o'r
clefyd tyffoid. Yr hyn sy'n anarfer-
ol yw fod y portread mân-ddarlun
hwn wedi cadw ei gas a'i glawr
gwreiddiol, o ifori wedi ei durnio.
Prynwyd 1975. NMW A 718

14. Ysgol Brydeinig (*c*.1625)
Syr Thomas Mansel a'i wraig Jane
olew ar gynfas
118 × 126 cm
Yr oedd y teulu Mansel o Fargam
yn un o deuluoedd cyfoethocaf De
Cymru. Yr oedd Thomas Mansell
(1556-1631) yn AS dros For-
gannwg. Byddai'n aml yn llys
James 1 a phrynodd farwniaeth ym
1611. Dangosir y gŵr a'r wraig yn
cydio dwylo'n dyner yn y darlun
hwn o 1625. Hwyrach fod y blodyn
Gold Mair sydd yn llaw'r Fonesig
Mansel yn symbol o'u merch,
Mary.
Prynwyd 1984. NMW A 16

15

16

17

15. Hubert le Sueur (1610-58)
*Edward Herbert, Barwn Herbert 1af
o Cherbury 1631*
efydd
U 52 cm
Ganed yr Arglwydd Herbert yng
Nghastell Trefaldwyn
(1581/3-1648) a bu'n byw yno ac
yn ei Faenor Cherbury yn Swydd
Amwythig. Yr oedd yn athronydd,
hanesydd, cerddor a marchog o fri
ac yn llysgennad yn Ffrainc ym
1619 a 1622-4. Ganed le Sueur yn
Ffrainc ac mae'n debyg iddo
ddysgu elfennau cerflunio Arddull-
iol Fflorens oddi wrth yr Eidalwyr
a weithiai ym Mharis.
Prynwyd ar y cyd â'r Ymddiried-
olaeth Genedlaethol 1990.
NMW A 271

16.(i) Cwpan, Llundain 1580
arian gydag olion goreuro
marc gwneuthurwr: SB gyda seren
uwchben
U 28 cm
Rhoddwyd y cwpan yfed hwn o
gyfnod Elizabeth i Eglwys y Santes
Fair, Trefynwy rywbryd ar ôl 1660
i'w ddefnyddio fel cwpan cymun.
Ar fenthyg oddi-wrth Ficer a
Chyngor Eglwys Plwyf Trefynwy.
NMW A (L) 424

16.(ii) Powlen, Llundain 1570
arian, gilt parsel
marc gwneuthurwr: SL
AR DRAWS 15.7 cm
Byddai powlenni bas fel hon yn
cael eu gwneud tua 1530-90 a'u
defnyddio'n bennaf fel llestri yfed.
Mae'r arysgrif yn dweud i hon gael
ei rhoi i blwyf Penmynydd ym

Môn gan ei sgweiar, Coningsby
Williams, ym 1707.
Ar fenthyg oddi wrth Reithor a
Chyngor Eglwys Plwyf Llanfair
Pwllgwyngyll. NMW A (L) 478

17. Costrel a llestr, Llundain
1691 a 1693
arian gilt
marc gwneuthurwr: RC mewn
cylch o ddotiau
U (costrel) 24.6 cm, AR DRAWS
(llestr) 63.5 cm
Ar y rhain mae arfau Syr John
Trevor (1638-1717) o Fryncunallt,
Sir Ddinbych a'i wraig Jane
Mostyn wedi eu hysgythru. Yr
oedd Trevor yn gefnder i'r Barnwr
Jeffreys gwaradwyddus, ac yn Lle-
farydd Tŷ'r Cyffredin rhwng 1685
a 1695. Ar y cychwyn yr oedd yn
gadarn yn erbyn Pabyddiaeth, ac
yna aeth i gefnogi James I. Yn y
diwedd, fel rheolwr Toriaidd i Wil-
liam III, cafodd ei warthruddo am
dderbyn llwgrwobrwyon.
Prynwyd 1945. NMW A 50,305 a
50,306

18. Cornelius Johnson
(1593-1661)
Syr Thomas Hanmer 1631
olew ar gynfas
77.5 × 62.2 cm
Yr oedd Syr Thomas Hanmer
(1612-78) o Hanmer, Sir y Fflint
yn wastrod yn llys Charles I. Yr
oedd yn arddwr o fri a daeth â
nifer o blanhigion newydd i'w ardd
ym Mharc Bettisfield, Sir y Fflint.
Cafodd Cornelius Johnson ei hyff-
orddi mewn gwledydd tramor cyn
ymsefydlu fel portreadydd yn
Llundain. Mae naws ariannaidd
gynnil y portread yn gweddu i
gymeriad coeth, synhwyrus yr
eisteddwr.
Prynwyd 1944. NMW A 40

19. Pâr o ganwyllbrennau, John
Bodington, Llundain 1710
arian safon Britannia
U 31.8 cm
Ar y goleuadau mur hyn mae arfau
William Herbert, Ail Ardalydd
Powys (c.1665-1745). Uwchben
mae coronig dug, gan fod ei dad
hefyd wedi ei wneud yn Ddug
Powys gan yr alltud James II.
Mae'n debyg i'r rhain gael eu
gwneud ar gyfer ei dŷ yn Llundain
gan nad adfeddiannodd Gastell
Powys ac ystadau ei deulu ym
Maldwyn tan 1722.
Prynwyd 1959. NMW A 50,354 a
50,355

18

19

23

**20.(i) Powlen bwns, Richard
Bayley, Llundain** 1743
arian
AR DRAWS 24.4 cm
Mae ar hon arysgrif Ladin i feistr
Parry a dynion y Fflint, ac mewn
llaw ddiweddarach "Darren-
Fawr". Gwaith cloddio arian oedd
hwnnw ger Aberystwyth a ail-
agorwyd gan Parry ynghyd â
mwyngloddwyr o'r Fflint. Trawyd
ar wythien arian bwysig yno ym
1742.
Prynwyd 1980. NMW A 50,494

**20.(ii) Siwg, John Smith II,
Llundain** c.1700
arian
U 30.5 cm
Mae "The Mines of Bwlch-yr
Esker-hir" wedi ei engrafio ar hon,
ac mae'n debyg iddi gael ei
gwneud o fwyn o'r gwaith plwm ac
arian a agorwyd yn Esgair-hir,
Ceredigion ym 1690. Arni mae
arfau William Powell o Nanteos,
un o'r cyfranddalwyr.
Prynwyd 1958. NMW A 50,352

20

21

22

21.(i) Gwydr gwin *c.*1750
gwydr plwm wedi ei engrafio ag
olwyn
U 16.2 cm
Mae arwydd Cymdeithas y Rhing-
ylliaid Môr wedi ei engrafio ar
hwn, sef clwb cymdeithasol gyda
thueddiadau Jacobaidd o uchelwyr
o siroedd arfordir De Cymru. Cof-
nodwyd y cyfarfod olaf yn
Hwlffordd ym 1762.
Prynwyd 1975. NMW A 50,508

21.(ii) Gwydr gwin *c.*1740
gwydr plwm wedi ei engrafio ag
olwyn
U 17.5 cm
Un o grŵp bychan o wydrau yn
dangos enw neu arfau Syr Watkin
Williams Wynn o Wynnstay (1692-
1749). O 1720 ef oedd noddwr y
Cylch, clwb ciniawa Jacobaidd, ac
ar gyfer hwnnw y gwnaed y gwyd-
rau hyn, o bosibl.
Rhoddwyd gan Gyfeillion
Amgueddfa Genedlaethol Cymru
1975. NMW A 50,507

**22. Pâr o ganwyllbrennau,
Lewis Pantin, Llundain** 1734
arian
U 27 cm
Mae'r canwyllbrennau hyn ym-
hlith yr enghreifftiau Seisnig cyn-
haraf o arian Rococo cyflawn.
Cawsant eu gwneud ar gyfer Syr
Watkin Williams Wynn o Wynn-
stay, Sir Ddinbych, y tirfeddian-
nwr mwyaf yng Ngogledd Cymru.
Gyda'r Jacobiaid yr oedd ei dued-
diadau, ac yr oedd yn arweinydd
"plaid y wlad" yn Nhŷ'r Cyffredin.
Prynwyd 1985. NMW A 50,498 a
50,499

23. Llestr dwfn, Tsineaidd
1745-50
porslen past-caled
U 21.6 cm
Yr oedd y teulu Stepney o Lanelli
ymhlith nifer o deuluoedd bonedd
Cymreig yn ystod hanner cyntaf
y ddeunawfed ganrif i gomisiynu
setiau porslen Tsineaidd a'u harfau
wedi eu peintio arnynt . Ffurf
Baroque Ewropeaidd sydd i'r llestr
hwn, ac mae'r blodau sy'n rhan o'r
addurn hefyd yn syniad Gorllew-
inol.
Prynwyd 1993. NMW A 31,110 a
31,111

24. Hambwrdd, Pont-y-pŵl
*c.*1765
haearn wedi ei siapaneiddio
38.8 × 52.5 cm
Mae'n debyg i'r gwaith hwn gael
ei gomisiynu gan y teulu Hanbury,
perchnogion gwaith haearn Pont-
y-pŵl, gan fod Kelmarsh Hall,
Swydd Northampton wedi ei bein-
tio arni, sef cartref un o'u cyndeid-
iau, Thomas Hanbury, a fu farw
ym 1722. Daw'r olygfa a'r arysgrif
o engrafiad yn *History of Northamp-
tonshire* gan John Bridges. Er na
chafodd hwnnw ei gyhoeddi tan
1791, paratowyd y darluniau ychy-
dig cyn marw'r awdur ym 1724.
Prynwyd 1960. NMW A 50,239

23

24

2. Yr Hen Feistri o'r Dadeni i Oes y Goleuni

Yr oedd syniad yr "Hen Feistr", sef arlunydd o fedr arbennig a gâi ei gydnabod yn eang fel patrwm rhagoriaeth, yn boblogaidd o gyfnod y Dadeni tan y cyfnod Rhamantaidd. Mae'n cydymffurfio â barn yr hanesydd celf o'r unfed ganrif ar bymtheg, Giorgio Vasari, fod peintio wedi ei aileni yn y Trecento a'r Quattrocento yn yr Eidal, a gyrhaeddodd y brig ym mherffeithrwydd arddull "gywir" cyfnodau Raphael a Michelangelo. Meistri "modern" yn wreiddiol oedd y meistri hyn, yn hollol wahanol i'r peintwyr a'r cerflunwyr yn yr hen Oes Glasurol a gâi eu parchu lawn cymaint. Daethant yn "hen" wrth i ddamcaniaethwyr megis Syr Joshua Reynolds edrych yn ôl dros gyfnod o ganrif neu ragor. Cafodd y rhan fwyaf o'r academïau celf traddodiadol, gan gynnwys yr Academi Frenhinol a oedd newydd ei sefydlu yn Llundain ym 1768, eu seilio ar yr egwyddor mai Natur ei hun a chyfraith o arlunwyr wedi eu cymeradwyo a oedd yn addas i'w hefelychu. Yn ystod y bedwaredd ganrif ar bymtheg, newidiwyd yr agwedd honno gan y Rhamantwyr, a bwysleisiai bwysigrwydd dychymyg, a'r arlunwyr Cyn-Raphaelaidd, a oedd yn rhoi pwys ar gelfyddyd y Canol Oesoedd am ei bod yn ddilys ac yn "wir i natur". Yr oedd uchafiaeth yr hen feistri yn ganolog i agwedd yr orielau celf cyhoeddus cyntaf a sefydlwyd yn ystod diwedd y ddeunawfed ganrif a dechrau'r bedwaredd ganrif ar bymtheg, megis y Musée du Louvre ym Mharis a'r Oriel Genedlaethol yn Llundain. Yr oedd erydiad cynyddol y cysyniad cyffredinol hwn yn ystod y bedwaredd ganrif ar bymtheg yn un o'r prif ffactorau dros sefydlu orielau ar wahân ar gyfer celfyddyd fodern yn y Musée du Luxembourg ym 1818 ac Oriel Tate ym 1897.

Mae tueddiadau personol Vasari yn amlwg yn ei *Lives of the Artists*, sy'n pwysleisio rhagoriaeth dylunio a chyfraniad Fflorens i gelfyddyd y Dadeni ar draul dull mwy peintiadol yr ysgol Fenetaidd. Cafodd hon ei thrawsffurfio a'i hail-sefydlu fwy neu lai yn ystod diwedd y bymthegfed a dechrau'r unfed ganrif ar bymtheg gan y teulu Bellini a'u myfyrwyr niferus, gan gynnwys Cima a Montagna. Parhaodd Giovanni Bellini yn ddylanwad ar y meistri Dadeni Uchel Giorgione a Titian. Erbyn 1500, yr oedd astudio henbethau clasurol yn rhan hanfodol o hyfforddiant unrhyw beintiwr Eidalaidd ifanc uchelgeisiol. Ymwelodd Amico Aspertini o Bologna â Rhufain fwy nag unwaith, fel y dynodir yn ei lyfrau braslunio sy'n llawn dyluniadau yn null cofebau Clasurol. Sylweddolodd Vasari fod arddull fynegiadol a bywiog Aspertini yn amhosibl ei chysoni â'i syniad ef o wedduster artistig, a gwelai hynny fel nodwedd a'i gwnaeth yn ddyn eithafol a'i yrru yn y pen draw i wallgofrwydd. Yn dilyn enghraifft ei feistr Jan van Scorel, a ddilynodd Raphael fel Ceidwad y Belvedere am gyfnod byr ym 1522-4, treuliodd y peintiwr Maerten van Heemskerck o'r Isalmaen y blynyddoedd o 1532-5 yn Rhufain yn gwneud nifer o frasluniau yn null olion Hynafol. Mae Clasuriaeth eithafol ei destunau chwedlonol yn hollol wahanol i anferthedd difrifol ei bortreadau. Er y gellir dweud yn fras fod Aspertini a Heemskerck yn beintwyr "Dullweddol", mae eu harddulliau eclectig yn hollol amddifad o'r 'Maniera' diwylliedig a ganmolwyd gan Vasari a'i arddangos gan yr arlunydd llys o Fflorens Agnolo Bronzino a'i ddisgybl, Alessandro Allori.

Celfyddyd yr ail ganrif ar bymtheg oedd etifedd y Dadeni, ond ychwanegodd at dawelwch digyffro'r cyfnod cynharach gyda syniad o amser a symud. Mae hyn yn amlwg hyd yn oed yng 'Nghlasuriaeth Baroc Uchel' y peintiwr Rhufeinig Andrea Sacchi, y gwelir ei ffurfiau'n cael eu bywiocáu gan liwiau cyfoethog, cynnes a gwaith brws heini. Daeth y bywiogrwydd newydd hwn i'w lawn dwf yn fynegiannol yng nghyfansoddiadau cymhleth, eang Syr Peter Paul Rubens, a deithiodd yn helaeth cyn dychwelyd i'w gartref yn Antwerp fel peintiwr llys i lywodraethwyr Sbaenaidd yr Iseldiroedd. Bu ei lu comisiynau mor bell i ffwrdd â Lloegr, Ffrainc, Yr Eidal, Sbaen a Bafaria, yn help i ddiffinio cylch Ewropeaidd celfyddyd Baroc. Cyfrannodd y peintwyr Ffrengig Nicolas Poussin a Claude Lorrain, a dreuliodd y rhan fwyaf o'u hoes yn gweithio yn Rhufain, at y broses hon hefyd. Mae eglurder arddull Poussin yn adeiladu ar glasuriaeth Sacchi ac yn wrthwynebiad llwyr i emosiwn Rubens. Yn wahanol i olygfeydd deallusol ac arwrol Poussin, mae i dirluniau Claude naws farddonol a marwnadol. Eu llwyddiant mawr ar y cyd oedd y tirlun 'delfrydol' – trefnu amrywiaeth o batrymau Clasurol o fewn gosodiad Eidalaidd gan ddangos amrywiol effeithiau golau dydd a thywydd ac yn aml yn delio â themâu storïol mawr celfyddyd hynafol a chelfyddyd Gristnogol. Yr oedd y "gyfraith" hon o beintio tirluniau yn cydweddu â honno a oedd wedi ei dyfeisio ar gyfer cynrychioli'r corff dynol yn ystod y Dadeni. Yr oedd rhamantiaeth dyner Claude yn fwy cychwynnol na moesoldeb arwrol Poussin. Yr oedd ei ddylanwad eisoes yn amlwg erbyn canol yr ail ganrif ar bymtheg ar waith arlunwyr megis Aelbert Cuyp a pharhaodd i ddarparu'r patrwm sengl mwyaf parhaol ar gyfer peintwyr tirluniau Ewropeaidd tan ddechrau'r bedwaredd ganrif ar bymtheg. Yr oedd darluniau gan Poussin a Claude yn rhoi golwg arcadaidd ar natur, a oedd hefyd yn cael ei gwireddu ar raddfa eang ym mharciau'r tai bonedd niferus a oedd wedi eu gosod allan gan Capability Brown a garddwyr tirweddu eraill ym Mhrydain yng nghyfnod George.

25. Cima da Conegliano
(1459/60-1517)
Y Forwyn a'r Plentyn
olew ar banel
73 × 47.6 cm
Cima oedd un o brif beintwyr Fenis ar droad y bymthegfed a dechrau'r unfed ganrif ar bymtheg. Datblygodd arddull bersonol ar sail arddull Giovanni Bellini, ac o'i waith ef y daw'r motiffau o'r rhagfur marmor gyda llofnod yr arlunydd ar ddarn o bapur a'r marchog Twrcaidd bach yn y cefndir.
Prynwyd 1977. NMW A 240

25

26

26. Amico Aspertini

(c.1474-1552)
*Y Forwyn a'r Plentyn rhwng y Santes
Helena a Sant Ffransis*
olew ar banel
85.5 × 71.1 cm
Mae'r darn allor bychan hwn o tua
1520 yn cynnwys y Forwyn Fair a
Sant Joseff yn dianc i'r Aifft yn y
cefndir. Ar y gwaelod mae ffigurau
lliw carreg yn dangos Moses a'r
Llo Aur, y Forwyn a'r Baban a
Josiah yn dinistrio'r allorau ffug.
Mae'r Baban yn gwisgo neclis o
gwrel coch, sef dull Eidalaidd o
warchod rhag Llygad y Diafol.
O dan ei droed mae pelen grisial
a Duw yn creu Adda.
Prynwyd 1986. NMW A 239

27. Alessandro Allori

(1535-1607)
*Y Forwyn a'r Plentyn gyda Sant
Ffransis a'r Santes Lucy* 1583
olew ar gynfas
256.5 × 167.6 cm
Cafodd y darn allor hwn ei gomisi-
ynu gan Allori o Fflorens gan y
Cardinal Ferdinando de' Medici fel
rhodd i Felice Peretti, Cardinal
Mantalto, a wnaed yn Bab Sixtus
V ym 1585. Wrth draed Crist y
Baban mae Sant Ffransis a'r Santes
Lucy. Yr oedd i'r ddau arwyddo-
câd arbennig i'r Cardinal Mon-
talto, aelod o'r Urdd Ffransisgaidd
a aned ar Ŵyl y Santes Lucy ar 13
Rhagfyr.
Prynwyd 1970. NMW A 37

27

28

28.(i) Powlen, Fenis diwedd y
15fed ganrif
gwydr
AR DRAWS 28.7 cm
Yr oedd diwydiant gwydr Fenis yn
un o'r mwyaf yn y byd yn ystod y
cyfnod hwn, gan arloesi gyda
gwydr *cristallo* di-liw i gynhyrchu
darnau arbennig wedi eu hadd-
urno ag enamel a deilen aur. Câi
cynnyrch Fenis ei allforio ar hyd
a lled Ewrop a Dwyrain y Môr
Canoldir.
Prynwyd 1973. NMW A 50,580

28.(ii) Lestr, Deruta 1510-40
maiolica
AR DRAWS 40.6 cm
Deruta, tref fach i'r de o Perugia
yn yr Eidal, oedd canolfan cynhyr-
chu maiolica yn ystod cyfnod y
Dadeni, ac ar ddechrau'r unfed
ganrif ar bymtheg arbenigai ar
lestri wedi eu haddurno â gloy-
wedd symudliw dros batrwm glas
a gâi ei beintio mewn trydydd
taniad.
Prynwyd 1969. NMW A 30,141

29. Maerten van Heemskerck
(1498-1574)
Portread o Ferch
olew ar banel
40.5 × 33 cm
Yn Haarlem yn yr Iseldiroedd y bu
Maerten van Heemskerck yn
astudio ac yn byw, ar wahân i dair
blynedd yn Rhufain. Yn y gwaith
hwn o tua 1540 a'i gymar *Portread
o Ddyn*, mae'r cefndir o dirwedd
gloyw yn ein hatgoffa o hen beint-
iadau mur Rhufain. Maent yn
gwrthgyferbynnu'n ddramatig â'r
lluniau realistig iawn o'r
eisteddwyr.
Prynwyd 1985. NMW A 235

30

30. Andrea Sacchi (1599-1661)
Hagar a'r Angel
olew ar gynfas
75.6 × 92 cm
Cafodd Hagar, meistres Abraham,
ei halltudio ganddo ar orchymyn ei
wraig, Sarah. Pan oedd hi a'i mab,
Ishmael, ar fin marw o syched
daeth angel yr Arglwydd a'u
cyfeirio at ddŵr. Cafodd y
cyfansoddiad eglur hwn ei beintio
ar ddechrau'r 1630au i'r Cardinal
Antonio Barberini. Yr oedd Sacchi
yn amddiffyn traddodiad Clasurol
Raphael yn erbyn yr arddull Baro-
que newydd yn Rhufain.
Prynwyd 1971. NMW A 9

31. Syr Peter Paul Rubens
(1577-1649) **a'i weithdy**
*Romulus yn ymddangos i Julius
Proculus*
gouache ar bapur
280.2 × 189.5 cm
Mae hwn yn un o gylch o bedwar
cartŵn am stori Romulus a briod-
olir i'r meistr Rubens o Fflandrys
er 1650, pan oeddent yng nghas-
gliad y Cardinal Cesare Monti ym
Milan. Ar ôl diflaniad rhyfeddol
Romulus, hawliodd y seneddwr
Julius Proculus ei fod wedi ym-
ddangos ac wedi proffwydo mai
Rhufain fyddai prifddinas y byd.
Cafodd cyfansoddiad y cartŵn
hwn ei droi tu chwith wrth ei wau
fel tapestri.
Prynwyd 1979. NMW A 229

31

32

Byddai henbethau Rhufeinig a Groegaidd megis *Llestr Jenkins* yn cael eu hastudio'n frwdfrydig, eu casglu a'u hadfer yn ystod y tair canrif rhwng y Dadeni ac Oes y Goleuni. Ynghyd â'r themâu Cristnogol a etifeddwyd o'r Canol Oesoedd, mae'n debyg mai'r traddodiad Clasurol sydd wedi parhau'n edefyn uno canolog yng nghelfyddyd Ewrop. Serch hynny, rhwng yr unfed ganrif ar bymtheg a'r ddeunawfed ganrif, ehangodd arlunwyr yn helaeth eu cwmpas o bynciau i gynnwys gwahanol fathau o bortreadu, golygfeydd trefol a gwledig, bywyd llonydd, cyfansoddiadau o flodau ac anifeiliaid, ac amrywiaeth helaeth o fathau o dirlun, gan gynnwys tu mewn adeiladau a golygfeydd o'r môr. Gan ddechrau yn yr Iseldiroedd, byddai peintwyr yn gynyddol yn canolbwyntio ar un neu arall o'r meysydd hyn. Mae golygfeydd gwerinol a chyffredin realistig y teulu Le Nain, gan ddatblygu thema wedi ei harloesi gan arlunwyr o'r Isal-maen a Fflandrys, yn nodweddiadol o'r duedd hon. Ganrif yn ddiweddarach, mae golygfeydd Canaletto o Fenis yn dangos arbenigedd cymharol. Yr oedd damcaniaeth academaidd yn cynnwys hierarchiaeth o bynciau, a'r safle uchaf yn perthyn i beintio hanes, ac yna dirluniau a darluniaeth i lawr at y dos-barthiadau isel o beintio *genre* a bywyd llonydd. Er bod y syniad hwn wedi parhau'n gyffredinol, yn ystod y bedwaredd ganrif ar bymtheg gwelwyd arlunwyr o'r tu allan i'r academiau fwyfwy yn cymryd y rhan flaenllaw gan ddefnyddio pynciau a dulliau gweithio a oedd y tu hwnt i'r maes llafur swyddogol.

32. Nicolas Poussin (1594-1665)
Darganfod Moses 1651
olew ar gynfas
117 × 178.2 cm
Pan orchmynnodd Pharo ladd pob bachgen a aned i'r Israeliaid, cafodd Moses ei guddio gan ei fam mewn basged o frwyn ar Afon Nîl. Yno darganfyddwyd ef gan ferch Pharo a'i fabwysiadu ganddi. Ar y dde mae Afon Nîl wedi ei phersonoli. Comisiynwyd y darlun hwn gan Reynon, masnachwr sidan o Lyon, ac wedyn bu'n eiddo i Clive o India (1725-74), ac oddi wrtho ef y cafodd ei etifeddu gan Ieirll Powys.
Prynwyd ar y cyd â'r Oriel Genedlaethol 1988. NMW A 1

33

34

34

33. Nicolas Poussin (1594-1665)
Tirlun a chorff Phocion yn cael ei gario o Athen 1648
olew ar gynfas
114 × 175 cm
Cadfridog a gwladweinydd o
Athen oedd Phocion (402-317 cc)
a oedd yn enwog am ei fywyd
moesol. Cafodd ei gyhuddo o
deyrnfradwriaeth ar gam a'i ddien-
yddio. Un o bâr yw'r darlun hwn.
Mae'r llall (yn Oriel Gelf Walker
yn Lerpwl) yn darlunio casglu ei
lwch. Mae trasiedi ei farw yn cael
ei wrthgyferbynnu â bywyd bob
dydd pobl Athen, sy'n hollol ddi-
feind o ffawd eu cyn-arwr, yn cael
ei ddangos yn fanwl yn y cefndir.
Ar fenthyg oddi wrth Iarll Ply-
mouth. NMW A (L) 480

34. Claude Lorrain (1600-82)
*Tirlun gyda Sant Philip yn bedyddio'r
Eunuch 1678*
olew ar gynfas
84.5 × 140.5 cm
Wrth ddychwelyd o Gaersalem i
Ethiopia, cyfarfu Philip ag eunuch
a bedyddiodd ef. Cafodd y darlun
hwn a'i gymar *Crist yn ymddangos i
Mair Magdalen ar Fore'r Pasg* (yn y
Städelsches Kunstinstitut und
Städtische Galerie, Frankfurt) eu
peintio ar gyfer y Cardinal Fabri-
zio Spada ym 1678. Yr oedd
gwaith cenhadol Sant Philip yn
debyg i ymdrechion y cardinal i
wrthsefyll Protestaniaeth. Mae'r
ddau ddarlun yn dangos amserau
gwahanol o'r dydd: yma wrth iddi
nosi, a'r llall yn gynnar yn y bore.
Prynwyd 1982. NMW A 4

35. Aelbert Cuyp (1620-91)
Tirlun gyda Chastell Ubbergen
olew ar banel
42.5 × 51.4 cm
Cafodd Cuyp ei hyfforddi yn Dor-
drecht ac yr oedd yn weithgar yno.
Yr oedd yn un o brif beintwyr tir-
luniau'r Iseldiroedd yn yr 17eg
ganrif. Oherwydd ei dirweddi bryn-
iog mewn golau euraid, gelwid ef
yn "Claude yr Iseldiroedd". Mae'n
debyg fod y darlun hwn yn perth-
yn i ganol y 1650au ac yr oedd
eisoes ym Mhrydain erbyn y 18fed
ganrif. Yr oedd y castell yn y cefn-
dir, a ddymchelwyd ym 1712, ger
Nijmegen ar Afon Rhein.
Prynwyd 1963. NMW A 23

36. Mathieu Le Nain (1607-77)
Cweryl
olew ar gynfas
73.1 × 90.8 cm
Yr oedd gan y brodyr Mathieu,
Antoine a Louis Le Nain weithdy
ym Mharis. Mae mwyafrif gweith-
iau Le Nain yn rhai llonydd iawn.
Ond i'r gwrthwyneb, mae'r darlun
hwn o tua 1640 yn darlunio anghy-
tuno chwyrn dros gêm sy'n cael ei
chwarae ar ben drwm. Mae'r gŵr
ifanc ar y chwith yn tynnu dagr a'r
milwr hŷn yn tynnu ei gleddyf
wrth iddo droi i wynebu ei ymo-
sodwr.
Cyflwynwyd gan Lywodraeth Ei
Mawrhydi 1968. NMW A 27

35

36

37

37. Antonio Canaletto

(1697-1768)

Y Bacino di San Marco gan edrych tua'r gogledd

olew ar gynfas

141 × 152.5 cm

Canaletto oedd y peintiwr golygfeydd mawr cyntaf o Fenis. Byddai ymwelwyr â Fenis yn frwd am ei weithiau, a threuliodd y blynyddoedd 1746-55 yn Lloegr. Mae'r darlun yn dangos yr olygfa o ynys Giudecca tuag at brif adeiladau Fenis: Palas y Doge, Eglwys Sant Marc, y Campanile a'r Hen Lyfrgell. Mae'n debyg iddo gael ei wneud tua 1730.

Prynwyd 1957. NMW A 76

38

38. Plât, Fenis 1741
gwydr didraidd
AR DRAWS 22.3 cm
Ar y plât hwn peintiwyd golygfa
o'r Gamlas Fawr o Chiesa degli
Scalzi at y Fondamenta della
Croce, yn seiliedig ar engrafiad gan
Antonio Visentini yn null Cana-
letto, a gyhoeddwyd ym 1735. Yr
oedd yn perthyn i grŵp a brynwyd
gan 9fed Iarll Lincoln, a fu yn
Fenis ym 1741. Prynwyd platiau
tebyg gan ei gyd-deithwyr, Horace
Walpole a John Shute.
Rhoddwyd gan F. E. Andrews
1940. NMW A 50,513

39. David Le Marchand
(1674-1726)
Gwyrth y Dyn â'r Llaw Wywedig
ifori
13.7 × 20.6 cm
Ganed y cerflunydd Huguenot
hwn yn Dieppe, ymfudodd i Gaer-
edin ym 1696 ac yr oedd wedi
symud i Lundain erbyn 1705.
Arbenigai ar gerfio ifori, gan gyn-
hyrchu portreadau mwclis ac ych-
ydig gerfluniau cain. Mae hwn yn
gampwaith o dorri cynnil.
Rhoddwyd gan F. E. Andrews.
NMW A 50,573

40. Rhufeinig, Canrif 1af cc ac
Eidalaidd, diwedd y 18fed Ganrif
Cawg Jenkins
marmor
U 72.1 cm
Mae corff y cawg hwn wedi ei
wneud o allor Rufeinig gron a gof-
nodwyd gyntaf yn Pozzuoli ger
Napoli ym 1489. Mae'r dyluniad
yn yr Amgueddfa Brydeinig yn ei
dangos cyn ei thrawsnewid yn
gawg yn y 18fed ganrif. Testun yr
addurn yw priodas Priam o Gaer-
droea a Helen. Mae'n debyg i
Thomas Jenkins (1720-98), pein-
tiwr, banciwr a deliwr mewn hen-
bethau Clasurol yn Rhufain,
brynu'r gwaith hwn yn Napoli ym
1769.
Prynwyd 1976. NMW A 14

39

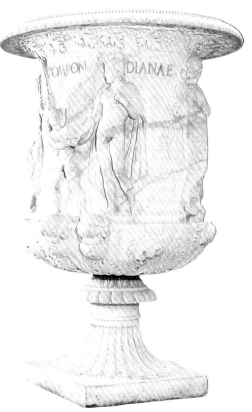

40

37

3. Richard Wilson a Thomas Jones yn yr Eidal a Chymru

Richard Wilson a'i fyfyriwr Thomas Jones oedd arlunwyr Cymreig mwyaf arbennig y ddeunawfed ganrif, y naill a'r llall yn gwneud cyfraniad unigryw i ddatblygiad peintio tirluniau. Ganed Wilson tua 1713 yn drydydd mab i reithor Penegoes ym Maldwyn. Yr oedd ei dad wedi graddio yn Rhydychen, ac fel clerigwr yr oedd ganddo gysylltiad agos â'r sgweieriaid lleol. O'r cefndir hwn, cafodd Wilson addysg glasurol lawer fwy trylwyr nag oedd yn gyffredin i arlunwyr ei ddydd, a gallai ei hun fod wedi mynd i brifysgol oni bai i'w dad farw ym 1728. Y flwyddyn ganlynol, gyda chefnogaeth ei berthynas, y tirfeddiannwr cyfoethog Syr George Wynne, cafodd ei brentisio gyda'r portreadydd Thomas Wright yn Llundain. Yn ystod diwedd y 1730au a'r 1740au, bu'n gweithio'n bennaf fel peintiwr portreadau yn Llundain.

Ym 1750, aeth Wilson i Fenis lle'r anogwyd ef gan yr arlunydd Francesco Zuccarelli i ganolbwyntio ar olygfeydd tirwedd *genre* Fenetaidd a oedd yn boblogaidd gyda chasglwyr Prydeinig. Ar ddiwedd 1751, symudodd i Rufain, lle cynhyrchodd dirluniau llawn dychymyg o dan ddylanwad Zuccarelli a Marco Ricci o Fenis, yr alltud Ffrengig Claude-Joseph Vernet a meistri Rhufain yn y ganrif flaenorol, Salvatore Rosa a Gaspard Dughet. Byddain'n gwneud brasluniau helaeth o olion Clasurol ac yn fwyaf arbennig o natur. Daeth man penodol yn natblygiad Wilson pan gafodd ei ddenu at gyfansoddiadau Poussin a'i gyfareddu'n llwyr gan weithiau Claude. Gan ychwanegu at y profiadau cyfoethog hyn, erbyn 1754 yr oedd ei hun wedi dod yn beintiwr tirluniau Clasurol yn yr Arddull Fawreddog. Yr oedd hwn yn faes celfyddyd a oedd yn arbennig o boblogaidd gydag uchelwyr Prydeinig wedi eu haddysgu ar y Daith Fawr, ac a fyddai'n frwd iawn yn casglu tirluniau meistri Rhufain yn yr ail ganrif ar bymtheg a'u dilynwyr.

Yn Rhufain yr oedd Wilson wedi cyfathrachu ag uchelwyr Seisnig ar ymweliad, a chanddynt hwy cafodd nifer o gomisiynau. Gan ragweld eu cefnogaeth barhaus, dychwelodd i Lundain tua 1756. Fel William Hogarth, a fyddai'n dadlau dros ddefnyddio testunau moesol modern, neu Joshua Reynolds, a geisiai gysoni portreadau â'r Arddull Fawreddog, yr oedd yn rhaid i Wilson ymdopi â'r duedd gyffredinol Brydeinig o ddychanu dawn frodorol o blaid arlunwyr tramor. Ym 1768, yr oedd yn un o'r aelodau a sefydlodd yr Academi Frenhinol, sefydliad a fwriadwyd yn benodol i godi statws arlunwyr Prydeinig. Darparodd arddangosiad amlwg o'i wybodaeth gyda chynfas helaeth o stori o *Ddinistriad plant niobe* gan Ofydd, sydd erbyn hyn yng Nghanolfan Celfyddyd Brydeinig Yale yn New Haven. Arddangoswyd hwn am y tro cyntaf ym 1760, a chafodd ei ganmol gan y beirniaid a'i ail-gynhyrchu fel un o'r engrafiadau a oedd yn gwerthu orau a'i brynu gan noddwr cyntaf ac unig noddwr brenhinol yr arlunydd, ewythr George III Dug Cumberland. Er bod Wilson wedi dangos ei allu i gyfansoddi tirlun Clasurol gyda thema aruchel, i'n hatgoffa o Gaspard Dughet, Poussin a Claude, digon aflwyddiannus fu ei ymdrechion i ddenu'r nawdd aruchel y gobeithiai amdano. Mae'n arwyddocaol, o'r hanner cant o uchelwyr Prydeinig a oedd erbyn 1777 yn berchen ar fwy

41

41. Anton Raphael Mengs (1728-79)
Richard Wilson
olew ar gynfas
85 × 74.9 cm
Adfywiodd Mengs draddodiad Raphael ac yr oedd ei Glasuriaeth lem yn ddylanwadol iawn. Peintiwyd y portread hwn yn Rhufain, lle bu Wilson yn byw ym 1752-6. Mae wedi ei bortreadu yng ngwisg gyfoethog ond anffurfiol bonheddwr sy'n gweithio ar dirlun. Er ei fod yn un o aelodau sylfaenol yr Academi, nid oedd ganddo noddwr a bu farw'n ddyn tlawd. Rhoddwyd gan y Gronfa Genedlaethol Casgliadau Celf 1947.
NMW A 113

42. Richard Wilson (1713-82)
Tirlun gyda Lladron: Y Llofruddio
olew ar gynfas
69.8 × 95.9 cm
Mae symudiadau grymus y llofrudd cryf sydd ar fin trywanu'r dioddefydd sy'n erfyn am eu fywyd yn fwy tebyg i'r theatr nag i fywyd go iawn. Ychwanegir at hynny gan y dirwedd fynyddig a fodelwyd ar waith Salvator Rosa, gan fod ei waith yn uchel ei barch gan gasglwyr y 18fed ganrif.
Prynwyd 1953. NMW A 69

38

42

na chwarter o holl gynnyrch Claude, mai tri yn unig oedd wedi
prynu peintiadau gan Wilson.

Yr oedd Wilson yn fwy llwyddiannus gyda thirluniau o natur
lai aruchel. Yr oedd ei olygfeydd o ystadau yn rhoi mwy o naws,
ond lawn mor Eidalaidd, yn wahanol i'r golygfeydd gofalus o
dai gwledig a gynhyrchwyd gan Canaletto yn ystod ei gyfnod yn
Lloegr ym 1746-55. Troes hefyd at olygfeydd dramatig Cymru,
ei famwlad, a oedd yn gynyddol yn cael eu gwerthfawrogi o
1750 ymlaen gan hynafiaethwyr yr Adfywiad Celtaidd a dam-
caniaethwyr y mudiad Darluniadol. Drwy ddefnyddio egwydd-
orion cyfansoddiadol y tirlun Clasurol ac ail-drefnu patrymau
yn gynnil er mwyn cael yr effaith fwyaf, rhoddai Wilson ryw
urddas i amrywiaeth helaeth o osodiadau, o erddi tai ar afon
Tafwys i gopaon serth Eryri. Yr oedd peintiadau felly yn boblo-
gaidd iawn yng Nghymru, lle'r oedd noddwyr Wilson yn cynn-
wys William Vaughan o Gorsygedol, "Prif Lywydd" cyntaf
Anrhydeddus Gymdeithas y Cymmrodorion, a Syr Watkin

Williams Wynn, Cymro cyfoethocaf ei ddydd o bosibl. Torrodd
iechyd Wilson yn ystod y 1770au a chafodd ei benodi i swydd
Llyfrgellydd yr Academi Frenhinol ym 1776 cyn dychwelyd i
Gymru ym 1781. Ond llwyddodd ei enw da i oroesi'r dirywiad
diflas hwn, ac yn ystod y bedwaredd ganrif ar bymtheg yr oedd
beirniad mor gyffredinol wrthwynebus â John Ruskin yn
cytuno: "gyda Richard Wilson mae hanes celfyddyd tirluniau
diffuant yn seiliedig ar gariad myfyrgar tuag at natur yn dech-
rau yn Lloegr".

Deuai Thomas Jones o gefndir a oedd yn debyg mewn llawer
ffordd i gefndir Richard Wilson. Ganed ef ym 1742 yng
Nghefnllys ym Maesyfed, yn ail fab i sgweiar o'r un enw a symud-
odd yn ddiweddarach i Bencerrig ger Llanfair-ym-Muallt. Gan
fwriadu mynd yn glerigwr, aeth Jones i Goleg yr Iesu, Rhyd-
ychen ym 1759, ond gadawodd heb radd ddwy flynedd yn
ddiweddarach ar ôl marwolaeth ei hen ewythr, a oedd yn talu am
ei addysg. Ym 1761, aeth i ysgol ddarlunio Shipley yn Llundain

43. Richard Wilson (1713-82)
Rhufain a'r Ponte Molle 1754
olew ar gynfas
97.2 × 133.3 cm
Byddai'r olygfa o Rufain o'r Ponte
Molle yn cael ei hedmygu'n fawr
yn y ddeuawfed ganrif. Gerllaw'r
bont mae yna orthwr o'r 15fed
ganrif. Ar y bryn ar y dde mae'r

Villa Madama ac yn y pellter mae
to eglwys San Pedr, y Castel Sant'-
Angelo a mannau enwog eraill.
Mae Wilson wedi addasu eu lleol-
iad fel y gallwn weld mwy nag
sydd yno mewn gwirionedd, gan
greu tirlun delfrydol yn ôl egwydd-
orion Claude.
Prynwyd 1950. NMW A 70

43

44. Richard Wilson (1713-82)
Castell Caernarfon
olew ar gynfas
61 × 123.2 cm
Codwyd Castell Caernaerfon, man
geni Tywysog cyntaf Cymru, gan
Edward 1 yn y 13edd ganrif. Yn yr
olygfa hon, sy'n perthyn mae'n
debyg i ddechrau'r 1760au, mae'r
dirwedd wedi ei hail-drefnu i greu
cyfansoddiad cytbwys fel border. Y
thema yw byrder llwyddiant dyn.
O flaen y symbol hwn o ormes mae
mam a'i phlant yn chwarae.
Prynwyd 1913. NMW A 73

45. Richard Wilson (1713-82)
Castell Dolbadarn
olew ar gynfas
92.7 × 125.7 cm
Mae'r dirwedd o gwmpas y castell
hwn a godwyd gan Lywelyn Fawr
wedi ei newid yn gynnil i roi cyfan-
soddiad Clasurol yn null Claude.
Dysgodd yr arlunydd ganddo
hefyd y dull o wneud y ffigurau'n
dalach. Mae copa'r Wyddfa i'w
gweld ar y dde. Mae'n debyg fod
y cyfansoddiad hwn wedi ei wneud
ar ddechrau'r 1760au.
Prynwyd 1937. NMW A 72

ac ym 1763 talodd hanner can gini i fod yn ddisgybl i Richard
Wilson am ddwy flynedd. Yn ystod y flwyddyn gyntaf, yn ôl ei
adroddiad ei hun, cafodd ei "gyfyngu'n llwyr i wneud Dyluni-
dau mewn Sialc du a Gwyn ar bapur o Liw Canolig... i roi
sail i mi yn Egwyddorion Golau a Chysgod". Byddai Jones
hefyd yn "copïo cynifer o Astudiaethau'r gŵr mawr a'm hen
feistr, Richard Wilson . . . nes i mi yn ddiarwybod ddod yn gyfar-
wydd â'r Golygfeydd Eidalaidd a syrthio mewn cariad â ffurfiau
Eidalaidd". O 1765 bu'n dangos golygfeydd tirlun yng Nghym-
deithas yr Arlunwyr. Rhwng 1769 a 1775, bu Jones yn
cydweithio gyda John Hamilton Mortimer (1740-79), a fydd-
ai'n peintio'r grwpiau o ffigurau mewn llawer un o'i dirluniau.
Y mwyaf uchelgeisiol o'r rhain yw'r peintiad mawr o *Dido ac
Aeneas* sydd erbyn hyn yn Amgueddfa Hermitage yn St Peters-
burg. Arddangoswyd hwn ym 1769 a'i brynu'n ddiweddarach
gan Cathryn Fawr. Yr oedd y tirlun Clasurol hwn yn seiliedig ar
stori gan Fyrsil sy'n ein hatgoffa o *Dinistrio plant niobe* gan Wilson.
Bum mlynedd yn ddiweddarach, troes Jones at farddoniaeth
Thomas Gray ar gyfer ei brif waith ar hanes Cymru, *Y Bardd*. Yr
oedd eisoes tua chanol ei dridegau ym 1776 pan aeth i'r Eidal, i
ddilyn ôl traed ei feistr, Wilson, chwarter canrif yn gynharach.

44

45

46

46. Thomas Jones (1742-1803)
Y bardd 1774
olew ar gynfas
115.6 × 167.6 cm
Mae prif waith "hanesyddol"
Jones, *Y bardd*, wedi ei seilio ar
hanes Thomas Gray am Edward 1
yn llofruddio beirdd Cymru. Mae'r
bardd olaf sy'n fyw yn melltithio'r
mewnfudwyr Seisnig cyn taflu ei
hun i'w farwolaeth o graig uchel
uwchben Afon Conwy. Yn y cefn-
dir mae cyrff y beirdd i'w gweld a
chylch o gerrig derwyddon yn seil-
iedig ar Gôr y Cewri.
Prynwyd 1965. NMW A 85

47. Cwpan tal, Abertawe *c*.1805
llestr pridd gyda gwydredd perl
u 15.5 cm
Cafodd *Y bardd olaf* gan Thomas
Gray, symbol o wrthsafiad y Pry-
deinwyr yn erbyn gormes, ei bein-
tio gan nifer o arlunwyr y 18fed
ganrif. Ffynhonnell y ffigur ar y
cwpan tal hwn yw engrafiad yn
null Philippe de Loutherbourg yn
*Musical and Poetical Relicks of the
Welsh Bards* (1784) gan Edward
Jones. Yr oedd cwpanau tebyg,
wedi eu peintio, hwyrach, gan
William Weston Young, yn stordy
Crochendy Abertawe yn Llundain
ym 1808.
Rhoddwyd gan W. D. Clark 1951.
NMW A 30,118

48. Thomas Jones (1742-1803)
Golygfa ym Maesyfed
olew ar bapur
22.9 × 30.5 cm
Mor gynnar â 1770, yr oedd Jones
yn peintio brasluniau olew o natur
ar bapur. Yr oedd honno'n dech-
neg chwyldroadol yn ôl safonau'r
dydd, pan fyddai peintio olew bron
i gyd yn cael ei wneud o dan do,
o astudiaethau. Mae'n debyg fod
y braslun hwn yn dod o 1776, y
flwyddyn yr aeth Jones i'r Eidal.
Prynwyd 1954. NMW A 86

47

48

Ar ôl mynd drwy Ffrainc a Gogledd yr Eidal, teithiodd Jones i Rufain ac yno y bu am yn agos i ddwy flynedd. Rhwng mis Medi 1778 a mis Ionawr 1779 yr oedd yn Napoli, a dychwelodd yno ym mis Mai 1780 am ei dair blynedd arall yn yr Eidal. Ble bynnag yr âi, byddai Jones yn gwneud brasluniau clir mewn cyfres o lyfrau braslunio, a byddai hefyd yn cadw dyddiadur sy'n rhoi adroddiad diddorol a digrif o'i hynt a'i helynt. O ganlyniad, mae ei arhosiad yn yr Eidal yn un o'r rhai sydd wedi eu cofnodi orau yn y ddeunawfed ganrif. Yn wahanol i Wilson, nad oedd "... yn cymeradwyo Dyluniadau lliw... a oedd, meddai, yn niweidio'r llygad ar gyfer Lliwio cain", yr oedd Jones yn arlunydd dyfrlliw arbennig iawn. Mae llawer o'r cyn- nyrch hwn yn cynnwys lluniau dyfrlliw llawn awyrgylch o olygfeydd enwog yr Eidal, wedi eu trefnu'n hardd gan ddilyn egwyddorion cymeradwy Claude a Wilson. Byddai'r rhain yn cael eu gwneud yn bennaf ar gyfer ymwelwyr Prydeinig, ac ychydig o'r rheiny fyddai'n comisiynu peintiadau olew, gan eu bod lawer yn ddrutach. Yn rhyfedd iawn, ni fyddai Jones yn ystyried bod ei gamp artistig fwyaf, sef ei frasluniau olew bach ar bapur, yn weithiau gorffenedig i'w gwerthu. Yr oedd eisoes

wedi cynhyrchu'r rhain ym Mhencerrig ar ddechrau'r 1770au, ond datblygodd ei fedr yn y dechneg hon yn gyflym iawn yn yr Eidal. Mae ei astudiaethau bach o adeiladau, heb ffigurau, a wnaed ganddo yn Napoli tua diwedd ei arhosiad yno yn ymgorffori grym anorfod ond wedi ei dan-fynegi o weledigaeth sy'n unigryw ym mheintio'r ddeunawfed ganrif. Pan ddychwel- odd Jones i Loegr ym 1783, arddangosodd olygfeydd Eidalaidd yn yr Academi Frenhinol ond gwelodd "... fod gobaith cael Cyflogaeth yn [ei] Broffesiwn yn ddigon anobeithiol". O ganlyniad, "Yn ystod y Gwanwyn 1787 – gan i Fy Mrawd hynaf farw, deuthum i etifeddu ei holl eiddo o ran Tir a thua Diwedd y Flwyddyn 1789, gadewais Lundain am y tro olaf fel lle i Drigo'n Gyson – a dychwelais i Ystad fy Nhadau yng Nghymru". Gan ddod yn rhan eto o fywyd cyfforddus sgweiar gwledig, byddai Jones wedyn yn peintio'n achlysurol yn unig er ei fwyn ei hun neu ar gais ei gyfeillion. Cafodd ei anghofio i'r fath raddau nes bod grŵp o'i frasluniau olew, pan ymddang- osodd y rheiny mewn arwerthiant ym 1954, wedi eu cyfrach fel carreg filltir yn hanes peintio tirluniau Prydeinig wrth gael eu hail-ddarganfod.

49

50

51

49. Thomas Jones (1742-1803)
Bae Napoli 1782
olew ar gynfas
102.9 × 156.8 cm
Mae'r gwaith hwn yn darlunio
Napoli gyda'r bae a Mynydd
Vesuvius yn y cefndir ar y chwith
a Phenrhyn Sorrento i'w weld ar
y gorwel. Mae Castel Sant' Elmo
a dwy o'r coed pîn bythol yn ffrâm
i'r cyfansoddiad. Cafodd y tirlun
Clasurol hwn, a ysbrydolwyd gan
Claude a Wilson, ei ddangos yn yr
Academi Frenhinol ym 1784.
Rhoddwyd gan Mrs Evan-Thomas
1952. NMW A 87

50. Thomas Jones (1742-1803)
Llyfr Braslunio Eidalaidd, 29
Mawrth 1777 – 9 Rhagfyr 1778
pensil ar bapur (186 o ddalennau)
gyda chas memrwn
18.4 × 13.3 cm
Yn ystod ei deithiau yn yr Eidal
rhwng 1776 a 1783, gwnaeth Jones
nifer o ddyluniadau pensil gofalus
iawn mewn llyfrau braslunio bach.
Mae'r rhan fwyaf o'r rheiny wedi
eu nodi a'u dyddio. Gwnaed y
braslun hwn ar dudalennau 138-9
ar 13 Tachwedd 1778. Mae'n
dangos olion Teml Diana yn Baia
yng Nghulfor Pozzuoli, i'r gogledd-
orllewin o Napoli. Yr oedd hon yn
hoff gyrchfan gan bobl fonheddig
Rhufain, a byddai llawer iawn yn
ymweld â'r lle yn y 18fed ganrif
hefyd. Câi astudiaethau fel hyn eu
hymgorffori wedyn mewn cyfan-
soddiadau dyfrlliw neu olew yn y
stiwdio.
Prynwyd 1948. NMW A 2528

51. Thomas Jones (1742-1803)
Adeiladau yn Napoli 1782
olew ar bapur
14 × 21.6 cm
Ar ddechrau ei ail arhosiad yn
Napoli, o fis Mai 1780 tan fis Awst
1783, yr oedd gan Jones lety gyda
theras ar y to mewn tŷ ger yr
harbwr. O'r fan honno gwnaeth
gyfres o astudiaethau olew
gorffenedig iawn o adeiladau
gerllaw, sy'n eithriadol o ffres ac
uniongyrchol.
Prynwyd 1954. NMW A 89

45

52

52. Francesco Renaldi
(*bl.*1755-98)
Thomas Jones a'i deulu 1797
olew ar gynfas
74.9 × 101.6 cm
Cafodd Renaldi ei eni a'i hyfforddi
yn Llundain, ond cyfarfu Jones ag
ef gyntaf yn Rhufain ym 1781.
Mae'r darn sgyrsiol hwn yn
darlunio Jones gyda'i offer peintio.

Mae ei wraig Maria o Ddenmarc
yn eistedd wrth ei throell. Mae eu
merch Anna yn sefyll y tu ôl i'r
sbined sy'n cael ei chwarae gan ei
chwaer, Elizabeth. Hwyrach mai
brawd ifancaf Jones sy'n sefyll wrth
ei hymyl, sef y Parchedig David
Jones.
Prynwyd 1962. NMW A 92

4. Maecenas Cymreig: Syr Watkin Williams Wynn

Cafodd darlun meistraidd Pompeo Batoni *Syr Watkin Williams Wynn, Mr Apperley a'r Capten Hamilton* ei beintio yn Rhufain rhwng 1768 a 1771. Unig bortread triphlyg Batoni y gwyddom amdano o eisteddwyr Prydeinig ar y Daith Fawr yw hwn, a chostiodd tua £225, a oedd lawer iawn yn fwy na thâl safonol yr arlunydd am dri phortread maint llawn. Nid oedd Syr Watkin Williams Wynn (1749-89) ond ugain oed pan ddechreuwyd y darlun hwn, ond buasai'n 4ydd Barwnig Wynnstay ers ei eni bron. Yr oedd yn un o ddynion cyfoethocaf Prydain. Yn ogystal ag eiddo Wynnstay yn Sir Ddinbych, yr oedd ganddo ystadau yn Swydd Amwythig, Maldwyn a Meirionnydd. Erbyn diwedd y 1760au yr oedd ei incwm o dir, a oedd wedi ei ddiogelu'n ofalus yn ystod cyfnod o leiafrydd maith ac wedi ei gynyddu gan hawlfreintiau o lo, plwm, alcam a chopr, wedi tyfu i tuag £20,000 y flwyddyn ac i gynyddu ymhellach wedyn. Am y deng mlynedd nesaf, gwariodd Syr Watkin yn helaeth iawn ar gynlluniau adeiladu a gweithiau celf tan i ddyledion cynyddol gwtogi ei weithgareddau yn y 1780au. Ei ddiddordebau costus eraill oedd drama a cherddoriaeth. Adeiladodd theatr breifat yn Wynnstay ym 1772, wedi ei chynllunio gan James Gandon, ac yn yr un flwyddyn gwariodd £204 ar adloniant cerddorol, tocynnau ar gyfer cyngherddau a thalu cerddorion.

Dechreuodd Syr Watkin ar ei Daith Fawr ym mis Mehefin 1768 gan gyrraedd Rhufain ym mis Tachwedd, lle prynodd ddarluniau a cherflun oddi wrth y delwyr James Byres a Thomas Jenkins. Ar ôl ymweld â Napoli, Fenis a Pharis, dychwelodd i Lundain ym mis Chwefror 1769 a phriododd y Fonesig Henrietta Somerset, merch 4ydd Dug Beaufort. Gwnaed set doiled o arian gilt a'u harf'bais wedi ei hengrafio arni, gan y gof aur brenhinol Thomas Heming. Mae'r dilysnod Llundain 1768-9 arni, ac y mae yn y dull Rococo diweddar wedi ei haddurno â blodau a dail. Yr oedd Heming wedi darparu set bron yn union yr un fath i George III ym 1766 fel rhodd i'w chwaer, y Frenhines Caroline Matilda o Ddenmarc. Os cafodd y set doiled ei chomisiynu gan Syr Watkin cyn ei daith i'r Eidal, mae'n dangos sut y cafodd ei chwaeth ei drawsffurfio gan ei wythnosau yn Rhufain, ei ymweliadau â Phompeii a Herculaneum, a'i gyfeillgarwch â Syr William Hamilton. Ym 1771, gwnaeth Heming ddarn pwysig arall o blât iddo a oedd yn arbennig o wahanol o ran arddull. Powlen bwns Neo-Glasurol oedd honno wedi ei chynllunio gan Robert Adam. Mae wedi ei gwneud o gilt arian ac yn pwyso 195 owns, wedi ei haddurno â swagiau, anthemion, a phennau hyrddod a chostiai £186 5s.

Bu cysylltiad Syr Watkin ag Adam yn arbennig o ffrwythlon, oherwydd yn Williams Wynn cafodd y pensaer a'r dylunydd gwsmer nad oedd pall ar ei ffynonellau, a'i gariad tuag at yr Hynafol yn ddwfn iawn. Y canlyniad oedd 20 St James's Square a adeiladwyd ym 1771-4, a'r enghraifft orau, mae'n debyg, o dai Adam yn Llundain sydd wedi goroesi, gyda phlastr gan Joseph Rose, addurniadau wedi eu peintio gan Antonio Zucchi a llawer iawn o grefftau gwych mewn pren, metel a scagliola. Yr oedd Adam wedi trawsnewid pensaernïaeth Brydeinig yn y 1760au gyda detholiad o addurniadau wedi eu tynnu o amryw-iaeth helaeth o ffynonellau Clasurol, a'r rheiny'n cael eu def-nyddio'n gyson ym mhob elfen y tu mewn i adeilad. Darparodd ef a'i swyddfa ddyluniau i Syr Watkin ar gyfer carpedi, lleoedd tân a rhai o'r prif ddodrefn. Prif eitem yr ystafell fwyta oedd bwrdd ymyl gyda phâr o yrnau ar goesau o bobtu. Yn gynnar ym 1773, comisiynodd Syr Watkin set ginio o arian ar gyfer y tŷ, un o'r ychydig setiau cyflawn a wnaed yn null Clasurol y 1770au. Hon hefyd oedd yr unig un i gael ei chynhyrchu'n llwyr o dan arolygiaeth Robert Adam, a ddarparodd y dyluniau ar gyfer yr holl brif ddarnau. Gelwid hon yn "set fwrdd fawr" a chostiodd dros £2400 gan gynnwys 33 o lestri, 84 o blatiau, 4 llestr dwfn, 8 llestr saws ac 8 llestr halen yn pwyso 3900 owns, ynghyd ag 16 o lestri melysfwyd gilt arian yn pwyso 350 owns yn ychwanegol. Cafodd ei gwneud gan John Carter a'i darparu gan Joseph Creswell, gof aur a gemydd a oedd yn gysylltiedig ag Adam.

Yr oedd Syr Watkin wedi parhau i brynu darluniau ar ôl dychwelyd o'r Eidal gan gomisiynu pum tirlun gan Richard Wilson ym 1770. Yn ddiweddarach, prynodd oddi wrth Wilson y portread yr oedd Mengs wedi ei beintio ohono yn Rhufain ym 1752. Ymhlith comisiynau eraill yn y cyfnod hwnnw yr oedd portread o'i gyfaill David Garrick fel Richard III gan Nathaniel Dance, a *Mrs Sheridan fel y Santes Cecilia* gan Reynolds, a oedd wedi ei beintio ym 1775 ar gyfer yr ystafell gerddoriaeth yn 20 St James's Square. Prynodd lawer hefyd mewn arwerthiannau, gan synnu ei gyfoedion drwy wario £650 ar *Tirlun gyda neidr* gan Poussin, sydd erbyn hyn yn yr Oriel Genedlaethol yn Llundain. Erbyn i'r tŷ yn St James's Square gael ei ddodrefnu, yr oedd ei gasgliad yn cynnwys peintiadau a briodolwyd i Pellegrini, Luca Giordano, Guido Reni, Guercino, Salvator Rosa, Panini, Brill, Cuyp, Rembrandt, Van der Neer, Van Goyen, Murillo, Gaspard Dughet a Vernet, neu a beintiwyd ganddynt.

Syr Watkin Williams Wynn oedd un o noddwyr pennaf y celfyddydau a gynhyrchodd Cymru erioed. Mae hefyd yn nod-weddiadol o ddeuolrwydd diwylliannol uchelwyr Cymreig y ddeunawfed ganrif. Yr oeddent yn fwy Seisnig na'u rhagflaen-wyr ganrif yn gynharach, a'u chwaeth yn dod fwyfwy dan ddylanwad Llundain a'r Daith Fawr Ewropeaidd. Ar yr un pryd, byddent yn cymryd diddordeb cynyddol yn hynafiaeth Cymru. Syr Watkin oedd ail "Brif Lywydd" Cymdeithas y Cymmrodorion, a byddai'n cefnogi elusennau Cymreig, yn amddiffyn yr iaith, yn casglu llawysgrifau ac yn noddi cerdd-orion, ysgolheigion a hynafiaethwyr. Bu'n gyfrifol hefyd am feithrin gyrfa y portreadydd William Parry, mab ei delynor, ond drwy dalu iddo fynd i'r Eidal yn union fel yr oedd Richard Wilson wedi gwneud genhedlaeth yn gynharach.

53

**53. Set doiled, Thomas
Heming, Llundain** 1768
arain gilt
∪ (drych) 70.5 cm
Ar y set mae arfau Syr Watkin
Williams Wynn a'i wraig gyntaf, y
Fonesig Henrietta Somerset, merch
4ydd Dug Beaufort, wedi eu har-
graffu. Priodwyd y ddau ym mis
Ebrill 1769, ond bu hi farw ym mis
Gorffennaf y flwyddyn honno. Ar
wahân i'r diffoddwyr a'r
hambwrdd, cafodd y darnau i gyd
eu marcio gan Thomas Heming,
Prif Of Aur y Brenin, ac arnynt
mae'r llythyren ddyddiad ar gyfer
Mai 1768 i Fai 1769.
Prynwyd 1964.
NMW A 50,386-50,414

54.(i) Pompeo Batoni (1708-87)
*Syr Watkin Williams Wynn, 4ydd
Barwnig, Thomas Apperley a'r Capten
Edward Hamilton* 1768-72
olew ar gynfas
289 × 196 cm
Yr oedd Batoni'n boblogaidd iawn
ymhlith ymwelwyr tramor â Rhu-
fain. Y cyfansoddiad hwn yw'r
gorau o'i bortreadau cain o enwog-
ion o Brydain. Treuliodd Syr
Watkin Williams Wynn (1749-89)
o fis Mehefin 1768 i fis Chwefror
1769 ar y Daith Fawr. Mae'n sefyll
ar y chwith a daliwr creon yn ei
law a chopi o ffresgo gan Raphael.
Wrth y bwrdd mae Thomas

Apperley yn tynnu sylw ei gyfaill
at ddarn gan Dante. Mae'r Capten
Hamilton, a'i ffliwt yn ei law
chwith, yn dangos ei edmygedd.
I bwysleisio cariad y tri dyn at y
celfyddydau, mae cerflun alegoriol
o *Beintio* yn y gilfach y tu ôl iddynt.
Prynwyd 1947. NMW A 78

**54.(ii) Bwrdd ymyl, yrnau ac
oerwr gwin** 1773
mahogani, pîn ac ormolu
H (bwrdd) 244 cm, ∪ (yrnau)
150 cm, ∪ (oerwr gwin) 86 cm
Cafodd y rhain eu cynllunio gan
Robert Adam ar gyfer yr Ystafell
Fwyta yng nghartref Syr Watkin

yn 20 St James's Square, Llundain.
Ar y dyluniad ar gyfer y bwrdd
mae'r dyddiad 14 Medi 1773.
Defnyddiwyd yr yrnau a'r traed fel
sestonau dŵr a chypyrddau ar
gyfer poteli gwin. Mae'r gwaith
peintio arnynt, er wedi colli ei liw,
yn debyg i liw'r Ystafell Fwyta. Ar
yr oerwr gwin, sydd ar ffurf arch
Glasurol, mae medal o eryr,
symbol o'r hen Rufain, ac arfbais
y Wynniaid.
Prynwyd y bwrdd a'r yrnau 1949,
Prynwyd yr oerwr gwin 1990.
NMW A 50,510-12 a 50,631

48

55

56

57

55. Powlen bwns, Thomas Heming, Llundain 1771
arian gilt
AR DRAWS 40 cm
Cynlluniwyd y bowlen gan Robert Adam a châi ei disgrifio fel darn "wedi ei orffen yn wych mewn Chwaeth Hynafol" a'i oreuro "â choler melyn Hardd". Gorffenn-wyd hi ym mis Medi 1772 am gost o £186 5s. Arni mae arfau Will-iams Wynn a Dinas Caer wedi eu hengrafio, a'r arysgrif "CHESTER PLATES WON BY FOP IN THE YEARS 1769 & 1770".
Prynwyd 1967. NMW A 50,455

56. Llestr dwfn, John Carter, Llundain 1774
arian
U 30.5 cm
Mae'r llestr hwn wedi ei seilio ar ddyluniad gan Robert Adam dydd-iedig 1 Ionawr 1773 ond a syml-eiddiwyd wrth ei wneud. Mae'n un o bâr o lestri dwfn yn "set fwrdd fawr" Syr Watkin, a chyda phâr arall mwy o faint byddent wedi eu gosod yn naill ben y bwrdd ac yng nghanol yr ymylon hir. Daw'r stondin o tua 1800.
Prynwyd 1989. NMW A 50,509

57. Grŵp o lestri melysfwyd, John Carter, Llundain 1773
arian gilt, llestr ar ffurf gwyntyll
31 × 28.3 cm
Yr oedd y "set fwrdd fawr" yn cynnwys un ar bymtheg o lestri melysfwyd o arian gilt mewn setiau o bedair, wedi eu hengrafio'n amlwg ag arfau Syr Watkin Will-iams Wynn a'i ail wraig, Charlotte Grenville. Daw'r rhain eto o ddy-luniadau a wnaed gan Robert Adam ym mis Ionawr a mis Mawrth 1773.
Prynwyd 1992. NMW A 50,659-74

5. Porslen y Ddeunawfed Ganrif

Ym 1700, yn y Dwyrain Pell yn unig y gwneid y corff cerameg gwyn tryleu a elwid yn borslen. Yr oedd bron yn rhyfeddol o brin yn Ewrop yn y Canol Oesoedd, ond erbyn canol yr unfed ganrif ar bymtheg, yr oedd porslen Tsineaidd yn cael ei wneud ar archeb i'r farchnad ym Mhortiwgal. Heriwyd y fonopoli honno gan yr Iseldirwyr ar ddechrau'r ail ganrif ar bymtheg, ac erbyn y 1640au yr oedd cannoedd o filoedd o ddarnau o borslen yn llifo i mewn i Ewrop bob blwyddyn, yn cael eu cludo'n bennaf gan y Dutch East India Company, a oedd hefyd yn mewnforio porslen o Siapan yn ail hanner y ganrif. O 1700, byddai llawer o borslen Tsineaidd yn cael ei addurno â herodraeth Ewropeaidd, a chafodd nifer o setiau eu harchebu gan uchelwyr Cymreig drwy'r English East India Company. Byddai llywodraethau, yn enwedig y rheiny nad oeddent yn cymryd rhan yn y fasnach gludo lwyddiannus, yn gofidio am y ffordd yr oedd eu heconomïau yn cael eu godro. Er gwaethaf nifer o ymdrechion i wneud porslen o bob math o ddefnyddiau, yr oedd ei gyfansoddiad a' dull o gynhyrchu yn dal yn ddirgelwch. Yr oedd y Tsineaid wedi darganfod y bydd cymysgedd o gaolin, cwarts a felspar yn cyfuno ac yn caledi ar dymheredd tua 1350°C. Yr oedd crochenwaith Ewropeaidd, o'i gymharu, yn drwsgl ac yn fregus. At hynny, nid oedd llestri pridd gyda gwydredd plwm, hyd yn oed pan gâi eu gwydredd ei wynnu â lludw tun i ddynwared porslen, na'r crochenwaith caled gwydredd halen yn addas ar gyfer y te a'r coffi a oedd erbyn hyn yn dod yn ffasiynol, oherwydd ni allent wrthsefyll dŵr berwedig.

Yr oedd porslen dynwaredol derbyniol, a elwid wedyn yn "bast-meddal" i wahaniaethu rhyngddo a phorslen "gwrioneddol" neu "bast-caled", wedi ei wneud yn Ffrainc ers y 1670au. Fodd bynnag, porslen wedi ei wneud ym Meissen o 1710, er gwaethaf ei amherffeithrwydd, oedd y porslen Ewropeaidd "gwirioneddol" cyntaf. Datblygodd y cemegydd, Johann Friedrich Böttger, wrth weithio i Augustus y Cryf, Etholwr Sacsoni a Brenin Gwlad Pwyl, grochenwaith caled coch, ac yna borslen gwyn hufennog. Cafodd y ffatri ym Meissen ei sefydlu'n ffurfiol ym mis Ionawr 1710, a Böttger yn rheolwr. Er bod ei llestri wedi denu llawer iawn o ddiddordeb, yr oeddent yn ddrud a siomedig oedd eu gwerthiant. Pan fu farw Böttger ym 1719, oherwydd anawsterau technegol a diffyg arian, nid oedd dyfodol Meissen yn sicr o bell ffordd. Bu'r enamelydd Johann Gregorius Höroldt, a ymunodd â'r ffatri ym 1720, yn gyfrifol am ehangu'n sylweddol yr amrywiaeth o liwiau enamel a oedd ar gael, a datblygodd eirfa addurniadol newydd o chinoiserie. Nid oedd i'r rhain batrwm dwyreiniol, a chyflwyniad ffansïol Ewropeaidd ydynt o'r syniad am y Dwyrain. Cynhyrchai Meissen hefyd ddynwarediadau o lestri Kakiemon Siapaneaidd a llestri porslen dwyreiniol eraill ar gyfer y cwrt Sacsonaidd a oedd hefyd yn gwerthu'n dda yn Ffrainc a Phrydain.

Ar ôl darganfod sut i wneud porslen past-caled, gwnaeth y ffatri ym Meissen ei gorau i ddiogelu ei chyfrinach a thanseilio busnes cystadleuwyr posibl, er enghraifft, drwy amddifadu ffatri Vezzi yn Fenis o'i chyflenwadau o gaolin o Sacsoni ym 1727. Lledodd "cyfrinach porslen" i Fienna, lle'r oedd ffatri Claudius

de Paquier yn addurno ei llestri â threfniadau o flodau naturiol o tua 1730, tua deng mlynedd cyn i beintio blodau gael ei ddefnyddio'n helaeth ym Meissen. Fodd bynnag, tua diwedd y 1740au y cafodd ffatrïoedd porslen eu sefydlu mewn nifer o ranbarthau Almaenig eraill. Parhaodd Meissen ar flaen y farchnad yn Ewrop, gydag asiantaethau ym Mharis, Warsaw a'r holl brif ddinasoedd yn yr Almaen, a marchnadoedd ym Mhrydain, Rwsia a Thwrci. Defnyddiai Chelsea, un o'r ffatrïoedd porslen past-meddal llwyddiannus cyntaf yn Lloegr, ddarnau porslen bwrdd Meissen fel modelau a ffigurau wedi eu benthyca oddi wrth Syr Charles Hanbury-Williams, y llysgennad Prydeinig yn Dresden. Tarfwyd ar gynhyrchu porslen ym Meissen yn ystod y Rhyfel Saith Mlynedd o 1756-63 er mantais i'r ffatri ym Merlin, ond mor ddiweddar â'r 1770au, yr oedd Syr Watkin Williams Wynn yn prynu llestri melysfwyd a llestri te Meissen gan ddeliwr tseini yn Llundain o'r enw Thomas Morgan.

Yr oedd Syr Watkin hefyd yn prynu porslen Sèvres. Yr oedd y Manufacture Royale de Porcelaine de France enwog wedi symud o Vincennes i Sèvres ym 1756. Yr oedd Sèvres wedi perffeithio porslen past-meddal tryleu hardd iawn a dulliau peintio a goreuro o ansawdd mor arbennig nes ei fod yn drech na'r holl ffatrïoedd Ewropeaidd eraill tan y Chwyldro Ffrengig. Byddai casglwyr Prydeinig yn rhoi pris uchel arno, gan gynnwys Tywysog Cymru, sef George IV yn ddiweddarach, a byddai'r ffatrïoedd yn Abertawe a Nantgarw yn fwriadol yn dynwared past-meddal Sèvres. Câi porslen past-caled ei wneud yn Sèvres o 1768, yn ogystal ag yn yr Almaen, Holand a Thwscani. Cyhoeddwyd y rysetiau angenrheidiol a'r manylion am yr odynnau ym 1771, ac yn ystod ail hanner y ddeunawfed ganrif, gwelwyd mwy a mwy o gyfnewid llafur a gwybodaeth yn rhydd, er bod cyfarwyddwr Sèvres cyn hwyred â 1812 yn cael anhawster i gael mynediad i ffatri Meissen fel ymwelydd. Cafodd nifer o ffatrïoedd Ewropeaidd newydd eu sefydlu tua diwedd y ddeunawfed ganrif, y rhan fwyaf ohonynt yn darparu ar gyfer y farchnad ddosbarth-canol a oedd yn ehangu, ond parhau'n an-niwydiannol i raddau helaeth yr oedd y broses o gynhyrchu. Ni ddefnyddiwyd glo ym Meissen tan 1839.

Yr oedd yn gymharol hwyr pan ddaeth porslen i Brydain. Cafodd y ffatrïoedd cynharaf, i gyd yn gwneud llestri past-meddal, eu sefydlu yn y 1740au, ond ni ddaeth Chelsea, Bow, Worcester a Derby i arwain y farchnad ddomestig tan y 1750au. Câi ychydig borslen past-caled ei wneud o 1768, ond defnyddid amrywiaeth ryfeddol o rysetiau tan ddechrau'r bedwaredd ganrif ar bymtheg pan ddaeth tseini asgwrn – sef corff o gaolin, carreg tseini a lludw asgwrn – yn raddol i fod yn safonol. Yr oedd porslen yn elfen yn harddwch cynyddol tai'r uchelwyr Cymreig tua diwedd y ddeunawfed ganrif. Ceir cyfeiriadau aml at Thomas Johnes yr Hafod yn archifau ffatri Derby, a byddai Syr Watkin Williams Wynn yn prynu porslen Derby a Worcester. Byddai tirluniau hardd yn aml iawn yn cael eu peintio ar lestri porslen diwedd y ddeunawfed ganrif, ac y mae golygfeydd o Gymru i'w gweld ar lestri Seisnig a Chyfandirol.

58

58.(i) Tebot, Meissen *c.*1720
porslen past-caled
U 15.7 cm
Disgrifiwyd hwn mewn rhestr gan
Meissen ym 1719 fel "tebot ar ffurf
hen ddyn", ac addaswyd y ffurf
eithriadol hon o gynllun gan y
peintiwr llys Ffrengig, Jacques
Stella, fel y cyhoeddwyd yn y *Livre
des Vases* ym 1667.
Prynwyd 1987. NMW A 32,076

58.(ii) Pot coffi, Meissen 1715-20
porslen past-caled, gosodwyd
mewn gilt copr
U 21.4 cm
Mae hon yn enghraifft o borslen
past-caled cynharaf Ewrop, a
berffeithiwyd gan Johann Fried-
rich Böttger ym 1710 ac mewn lliw
hufen. Nid oes addurn ar yr wyneb
am na allai'r ffatri wneud enamel
yn llwyddiannus tan 1720.
Rhoddwyd gan W. S. de Winton
1918. NMW A 30,133

59.(i) Tebot, Meissen *c.*1725
porslen past-caled
marc KPM a chleddyfau croes
U 12.7 cm
Ffurf tebot Baroc wedi ei beintio
mewn coch unlliw â thirluniau
Ewropeaidd, math prin iawn o
addurno a ddefnyddiwyd ym Meis-
sen tua chanol y 1720au.
Rhoddwyd gan W. S. de Winton
1918. DW 589

59.(ii) Tebot, Meissen 1723-4
porslen past-caled
marc KPM
U 12.2 cm
Mae enghraifft gynnar o'r ffantas-
ïau Tsineaidd a gyflwynwyd gan
y peintiwr Johann Gregorius
Höroldt wedi ei pheintio ar hwn
mewn enamel. Cofnodwyd yr
addurn yn llyfr patrymau Meissen
a elwir y codex Schulz.
Rhoddwyd gan W. S. de Winton
1919. DW 2559

60. Llestr dwfn, Fienna *c.*1735
porslen past-caled
U 26.5 cm
Mae'r gweithiau enamel a wneid
yn Fienna o 1718 yn aml o gynllun
Baroc hynod ac wedi eu peintio'n
eithriadol fanwl. Erbyn 1729, yr
oedd peintwyr y ffatri wedi perf-
feithio'r *deutsche Blumen* neu'r
blodau Ewropeaidd sydd mor
amlwg ar y llestr hwn.
Prynwyd 1985. NMW A 32,075

59

60

61 62

61. Darnau o set de a choffi, Höchst *c.*1770

porslen past-caled
marc olwyn
U (pot coffi) 25.5 cm
Yr oedd y ffatri a sefydlwyd yn
Höchst gan Etholwr Mainz ym
1746 yn cynhyrchu ffigurau pors-
len a llestri bwrdd o ddechrau'r
1750au tan 1796. Ar y set Neo-
Glasurol gynnar hon mae golyg-
feydd gwerinol Eidalaidd wedi eu
peintio o'r math a wnaed yn bob-
logaidd gan Nicolas Berchem a'u
cylchredeg yn eang fel engrafiadau.
Rhoddwyd gan W. S. de Winton
1920. DW 2566, 2576 a 2577

62. Plât, Berlin 1769-70

porslen past-caled
marc brysgyll
AR DRAWS 25.2 cm
Bwriadai Frederick Fawr i ffatri
borslen Berlin ddisodli Meissen fel
prif ffatri'r Almaen. Mae'r plât
hwn yn rhan o set "Siapaneaidd" a
wnaed ar gyfer ei balas Sanssouci,
Berlin a'i pheintio â chinoiserie o
engrafiadau yn null Boucher.
Rhoddwyd gan W. S. de Winton
1926. NMW A 30,056

63

63. Oerwr gwin, Sèvres 1772
porslen past-meddal
marc sawl L wedi eu gwau
U 19 cm
Cafodd un o setiau Sèvres gorau'r
18fed ganrif ei gwneud am gost o
20,772 *livres* i Dywysog Rohan, a
benodwyd yn llysgennad Ffrainc
yn Fienna ym 1771. Mae'r 368 o
ddarnau'n cynnwys chwe oerwr
gwin neu *seaux à bouteilles* am 204
livres yr un.
Prynwyd 1985. NMW A 32,083

**64. Penddelwau o Cornelis de
Witt a'r Llyngesydd Tromp,
Loosdrecht** 1780-4
porslen past-caled
marciau MOL
U 23.7 cm
Daw'r rhain o grŵp o benddelwau
o wladgarwyr yr Isalmaen a wnaed
gan ffatri Loosdrecht ar adeg pan
oedd y syniad gweriniaethol yn
cynyddu. Yr oedd Cornelis de Witt
yn arweinydd y gyfundrefn a
alltudiodd y Teulu Orange ym
1654-72, ac yr oedd Tromp yn un
o arwyr oes aur yr Isalmaen ar y
môr. Cafodd y naill a'r llall eu
gwneud yn null engrafiadau gan
Jacobus Houbraken.
Rhoddwyd gan W. S. de Winton
1918. NMW A 30,107 a 30,106

**65. Ffigur o ddyn o Tseina,
Chelsea** c.1754
porslen past-meddal, marc angor
coch
U 17.8 cm
Chelsea, a sefydlwyd tua 1744,
oedd y mwyaf uchelgeisiol o'r grŵp
cyntaf o ffatrïoedd porslen Lloegr.
Mae'r ffigurau a wnaed yn ystod
cyfnod yr "angor coch" o 1753-7
wedi eu modelu'n eithriadol a'u
haddurno'n ofalus o gynnil. Mae
hwn wedi ei nodi yng nghatalog
arwerthiant y ffatri ym 1755
gyda'r ffigur a elwid yn "fasg Tsin-
eaidd".
Prynwyd 1972. NMW A 30,061

**66. Dau lestr canghennau,
Pinxton** 1798-99
porslen past-meddal
U 13.2 cm
Bu'r peintiwr Derby, William Bill-
ingsley, yn gweithio ffatri borslen
yn Pinxton o 1796 i 1799, ac yn
ddiweddarach ef oedd yn gyfrifol
am ddechrau cynhyrchu porslen
yn Abertawe a Nantgarw. Mae'n
debyg mai ef a addurnodd y llestri
canghennau hyn, gyda golygfeydd
o gestyll Harlech a Chas-gwent
wedi eu peintio arnynt yn null
golygfeydd gan Paul Sandby, a
gyhoeddwyd yn *The Virtuosi's
Museum*, 1778.
Prynwyd 1983. NMW A 30,097 a
30,098

64

65

66

6. Crochenwaith a Phorslen Cymreig

Yr oedd datblygiad diwydiannol De Cymru o ddiwedd yr ail ganrif ar bymtheg wedi dod â dau fath o gynhyrchu celfyddydol yn ei sgîl. Gwaith cerameg a gwaith metel wedi ei siapaneiddio oedd y rheiny, y naill a'r llall yn ddibynnol ar ddiwydiannau sylfaenol glo a haearn. Datblygodd cynhyrchu cerameg yn ddiwydiannol yn Lloegr yn ystod dechrau'r ddeunawfed ganrif, a lledodd i Gymru yn yn 1760au. Yng Nghymru cyn y cyfnod diwydiannol, byddai'r crochenydd yn ymgymryd â phob cam o'r broses gynhyrchu ei hun, a defnyddiai glai lleol. Byddai'r crochenwyr yn Ewenni ger Pen-y-Bont ar Ogwr drwy gydol y ddeunawfed ganrif a'r bedwaredd ganrif ar bymtheg yn gwneud "crochenwaith gwledig" o'r math hwn.

Ym 1764, cymerodd y Crynwr a'r meistr haearn William Cole hen waith copr ar brydles "er mwyn cynnal ffatri gwneud crochenwaith caled". Yr oedd y safle ar afon Tawe, a gallai llongau yn cario clai pêl gwyn a fflint o Orllewin Lloegr ddadlwytho ar lanfa'r Crochendy ei hun, ac yr oedd glo i danio'r odynnau ar gael yn rhad ac yn gyfleus. Yr oedd Crochendy Abertawe yn gweithio erbyn 1768. Mae'n debyg mai crochenwaith caled gwyn neu ddi-liw oedd y cynnyrch cynharaf. Yr oedd y rheiny wedi eu gwneud yn Swydd Stafford ers y 1720au ac wedi eu disodli gan lestri pridd lliw hufen – corff clai pêl a fflint arall a wnaed yn helaeth o'r 1750au, ac a gynhyrchid hefyd yn Abertawe erbyn 1771.

Tua diwedd y 1780au, ymunodd y teulu Coles mewn partneriaeth â George Haynes. Yn ystod y blynyddoedd nesaf, ehangwyd y ffatri, cafodd ei hail-enwi'n Grochendy Cambria a'i haddasu i wneud y llestri pridd o safon uchel a'r crochenwaith caled corff sych a oedd yn cael eu cynhyrchu mor broffidiol gan Josiah Wedgwood a'r prif gwmnïau yn Swydd Stafford ar y pryd. Penodai Haynes grefftwyr medrus, gan gynnwys yr ysgythrwr Thomas Rothwell a'r peintiwr Thomas Pardoe. Rheolai Grochendy Cambria am yn agos i ugain mlynedd, gan gynhyrchu llestri hufen gwych a llestri pridd gyda gwydredd perl a fyddai naill ai wedi eu printio â throslun neu eu peintio'n llwyr â phatrymau o forderi Neo-Glasurol, neu â blodau, tirluniau, adar ac anifeiliaid. Ym 1802, aeth Haynes yn bartner gyda Lewis Weston Dillwyn (1778-1855), gan barhau'n rheolwr tan 1810. Parhaodd y busnes i ehangu, a phrynwyd peiriant ager ym 1806. Erbyn 1811, yr oedd gan Dillwyn a'r Cwmni tua 140 o weithwyr ac yr oedd yr elw ar gyfartaledd yn £1500 y flwyddyn ym 1810-16.

Yr oedd Lewis Weston Dillwyn yn bwriadu mentro i'r busnes proffidiol ond peryglus o wneud porslen pan glywodd ym 1814 gan Syr Joseph Banks am y porslen arbrofol a oedd yn cael ei wneud gan William Billingsley a Samuel Walker yn Nantgarw ger Caerdydd. Gan ei fod yn argyhoeddedig mai'r odyn anigonol oedd yn achosi'r colledion tanio uchel, yn hytrach nag unrhyw ansefydlogrwydd cynhenid yn y corff porslen, trefnodd Dillwyn iddynt symud i Abertawe. Yn ystod 1815, ceisiwyd cryfhau porslen Billingsley a Walker heb newid ei wynder eithriadol a'i dryloywedd. Yr oedd ychydig o'r porslen a wnaed yn Abertawe ym 1816-17 yn debyg iawn i tsieni asgwrn a oedd yn dod yn safonol ym Mhrydain. Gelwir past sydd i'w weld yn gyffredin yn "ŵy hwyaden" oherwydd ei liw gwyrdd deniadol. Gelwir corff caled ffrit gyda llawer iawn o garreg sebon ynddo a thryloywedd melyn yn "dryfer" o'r marc sy'n aml wedi ei argraffu arno. Methiant fu'r rheiny, a rhoes Dillwyn y gorau i gynhyrchu porslen ym mis Medi 1817, er i'r stoc, gwerth £2500, gael ei addurno i'w werthu tan 1826. Byddai amrywiaeth helaeth o ffurfiau yn cael eu gwneud, lawer ohonynt yn seiliedig ar borslen Ffrengig cyfoes. O dan gyfarwyddyd William Billingsley, byddai'r peintwyr yn arbenigo mewn grwpiau lliwgar o flodau gardd a gâi eu cynhyrchu tan y 1820au. Ar ôl gorffen cynhyrchu porslen yn Abertawe ym 1817, ail-agorodd Billingsley a Walker waith Nantgarw, lle byddent yn gwneud setiau melysfwyd, llestri te a darnau cabinet tan y 1820au. Corff ffrit o ludw asgwrn, tywod Lynn a photash wedi eu cymysgu â chlai tsieni oedd eu porslen gwyn ac eithriadol dryleu. Hawlient gyda rhywfaint o gyfiawnhad ei fod mor hardd â'r porslen pastmeddal a wneid yn Sèvres tan 1804, ond yr oedd yn anodd ei weithio a byddent yn colli llawer yn yr odynnau bob amser. Cafodd y rhan fwyaf o'r llestri a daniwyd yn llwyddiannus eu peintio a'u goreuro yn Llundain gan brif werthwyr tsieni y brifddinas. Cafodd llawer o waith Nantgarw ei addurno yn Llundain yn y dull Regency diweddar, ond cafodd darnau eraill eu peintio i ddynwared porslen cynharach Ffrainc, yr Almaen a Lloegr a'r rheiny eisoes yn dechrau cael eu casglu fel gweithiau celf. Yn fuan, daeth porslen Nantgarw yn werthfawr ynddo'i hun. Nodai *The Cabinet of Useful Arts* ym 1832 "ers i'r sefydliad hwn beidio, mae ansawdd gwych ei lestri yn cael ei farnu'n fwy teg, ac y mae'r prisiau a delir nawr yn barod gan amaturiaid a chasglwyr am ddarnau o borslen Nantgarw lawer iawn yn fwy na'r hyn o ofynnid yn wreiddiol gan y gwneuthurwyr". Cynhwyswyd porslen Abertawe a Nantgarw yn *Arddangosfa Celfyddyd Gain a Diwydiannol* Caerdydd ym 1870, ac yr oedd dros drigain o gasgliadau preifat ohono yn Ne Cymru erbyn 1897.

Pan roddodd Billingsley a Walker y gorau i Nantgarw, gadawsant ar eu hôl stoc helaeth o borslen, lawer ohono heb ei wydro. Ceisiodd eu cyn-bartner, y gŵr dysgedig o Forgannwg, William Weston Young, adfer rhywfaint o'i golledion drwy werthu'r stoc hwn. Yn gynnar ym 1823, ymunwyd ag ef gan Thomas Pardoe, gynt o Grochendy Cambria a beintiodd flodau neu dirluniau ar lawer ohono yn y dull Abertawe. Ym 1821, cafodd cannoedd lawer o ddarnau "tsieni Nantgarw wedi eu henamlo'n hardd" eu gwerthu mewn arwerthiant yn y Bont-faen, ac ym 1822 cafwyd arwerthiant dau ddiwrnod arall yn y gwaith cyn iddio gael ei ddymchwel. Cymerodd Lewis Weston Dillwyn at yr awenau eto yng Nghrochendy Cambria ym 1824 a chyflwynodd gorff llestr pridd gwell a phatrymau printiedig

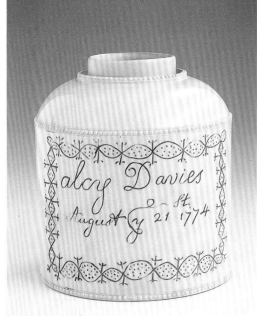

68

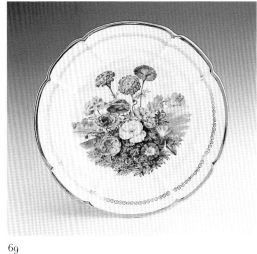

67

69

67. Siwg, Abertawe *c.*1800
llestr perl
marc arysgrif Abertawe
U 24.5 cm
Cafodd y teigar sydd wedi ei bein-
tio ar y siwg hon ei gopïo o engraf-
iad yng nghyfrol un o *General
Zoology* gan George Shaw, a
gyhoeddwyd ym 1800. Crewyd y
tirlun, sy'n cyfuno coed deri a
phalmwydd, gan y peintiwr
Thomas Pardoe a weithiai yn
Ffatri Cambria, Abertawe o 1795
i 1809.
Rhoddwyd gan F. E. Andrews
1922. NMW A 30,566

68. Blwch te, Abertawe 1774
llestr hufen
U 12.8 cm
Y blwch te trwm hwn yw'r darn
cynharaf o grochenwaith Cymreig
yng nghasgliad yr Amgueddfa.
Mewn arysgrif las arno mae'r geir-
iau "alcy Davies/August ye 21st
1774", a chafodd ei wneud chwe
mlynedd ar ôl i Grochendy
Abertawe ddechrau cynhyrchu. Ar
flwch te tebyg yn Amgueddfa
Abertawe mae'r arysgrif "Swansea
potwork, 1775".
Rhoddwyd gan E. M. Bythway
1928. NMW A 30,363

69. Plât, Abertawe 1816-7
porslen past-meddal
SWANSEA wedi ei argraffu
AR DRAWS 21.7 cm
O'r set llestri melysfwyd a beint-
iwyd â "golygfeydd gardd" gan
Thomas Baxter ar gyfer perchenn-
og gwaith porslen Abertawe, Lewis
Weston Dillwyn. Yr oedd bron
wedi ei orffen ym mis Medi 1817.
Yr oedd Baxter yn un o beintwyr
tsieni gorau ei gyfnod ac yr oedd
yn Abertawe ym 1816-8.
Rhoddwyd gan Gyfeillion
Amgueddfa Genedlaethol Cymru
1992. NMW A 31,074

newydd. Ym 1831, cyflwynodd y busnes i'w ail fab, Lewis Llewelyn Dillwyn ac mae'n debyg mai ef oedd yn gyfrifol am gyflwyno "Llestri Etrysgaidd Dillwyn", sef llestr pridd coch wedi ei brintio'n ddu i ddynwared crochenwaith Groegaidd, ym 1847-50. Ar ôl 1850, cafodd ei werthu o'r naill gwmni i'r llall gan gynhyrchu llestri o ansawdd gymharol wael tan 1870.

Wynebai Crochendy Cambria gystadleuaeth gan dair ffatri Gymreig arall o 1813. Y cynharaf o'r rhain oedd Crochendy Morgannwg, a adeiladwyd gan gwmni Baker, Bevans ac Irwin ar dir gerllaw Crochendy Cambria. Cynhyrchai lestri pridd wedi eu potio'n dda, y rhan fwyaf ohonynt wedi eu printio â

throslun, tan 1838. Yr oedd Crochendy De Cymru neu Lanelli yn gweithio erbyn 1840. Cafodd ei adeiladu gan William Chambers o Lanelli, a oedd yn dal y brydles tan o leiaf 1868, er iddo is-osod o 1855 i gwmnïau Coombs a Holland a Holland a Guest. Ym 1870, prynodd W. T. Holland Grochenwaith Ynysmeudwy, Pontardawe, a fu'n gwneud llestri pridd wedi eu hargraffu o 1849. Ar ddechrau'r ugeinfed ganrif cafwyd adfywiad mewn peintio â llaw yn Llanelli, a châi platiau a llestri eu haddurno â cheiliogod, blodau a ffigurau mewn gwisg Gymreig. Taniwyd am y tro olaf ym 1922, gan nodi diwedd diwydiant Cymreig a barhaodd am ganrif a hanner.

70. Pâr o lestri blodau, Abertawe 1816-22
porslen past-meddal.
SWANSEA wedi ei argraffu
u 24.6 cm
Yr oedd ymhlith gweithwyr porslen Abertawe nifer o beintwyr blodau dawnus, gan gynnwys William Pollard, ac mae'n debyg mai ef a addurnodd y llestri hyn. Maent ymhlith y rhai mwyaf a wnaed yn Abertawe ac wedi camffurfio ychydig, sy'n dangos y problemau wrth reoli'r corff porslen hardd ond ansefydlog yn yr odyn.
Cymynnwyd gan E. Morton Nance 1952. NMW A 30,910 a 30,911

70

72

71

71. Bwced hufen iâ, Abertawe

*c.*1816-25

porslen past-meddal

U 20.3 cm

Câi ychydig borslen Abertawe ei
beintio y tu allan i'r ffatri, yn
Llundain yn bennaf. Ymhlith yr
enghreifftiau mae'r bwced hufen iâ
hwn, sydd wedi ei addurno'n
helaeth ac a oedd yn rhan o set
felysfwyd fotanegol a arferai fod
yng Nghastell Gosford, Swydd
Armagh. Câi'r ffurf, wedi ei seilio
ar *seau à glace* o Sèvres, ei gwneud
gan lawer o ffatrioedd Ewrop o'r
1760au.

Prynwyd 1992. NMW A 31,075

72. Darnau o set felysfwyd, Nantgarw *c.*1818-25

porslen past-meddal

U (llestr dwfn) 15.3cm

H (llestr canol) 36.2 cm

Mae'r darnau porslen a wnaed gan
William Billingsley yn Nantgarw o
1818-20 yn arbennig o olau.
Cafodd bron y cyfan eu prynu yn
wyn gan werthwyr yn Llundain
a'u haddurno yn ôl chwaeth y
brifddinas. Daw'r darnau hyn o set
sydd bron yn gyflawn ac a beint-
iwyd yn null porslen Sèvres canol y
ddeunawfed ganrif, dull a oedd yn
boblogaidd iawn gan gasglwyr
cyfnod y Rhaglofiaeth.

Rhoddwyd yn ddienw 1990. NMW
A 30,177-30,212

73. Siwg fawr, Abertawe
*c.*1830-45
llestr pridd
U 35 cm
Ar ôl gorffen cynhyrchu porslen yn
Abertawe, dechreuodd Crochendy
Cambria ganolbwyntio ar
gynyddu llestri pridd a throslun
wedi ei brintio arnynt. Ar y siwg
hon mae print deuliw arbennig a
elwid yn "fasged ddwyreiniol",
ynghyd â nifer o addurniadau
eraill wedi eu printio.
Prynwyd 1992. NMW A 31,125

74. Llestr, Nantgarw 1818-23
porslen past-meddal
NANT-GARW / C. W. wedi ei
argraffu
21.4 × 30 cm
ar ôl gorffen cynhyrchu porslen yn
Nantgarw ym 1820, addurnwyd
llawer o'r stoc a oedd ar ôl gan
Thomas Pardoe, a fuasai'n gweith-
io yng nghrochendy Abertawe. Ar
y llestr hwn mae golygfa o'r bont
ym Mhontypridd, a orffennwyd
ym 1754, wedi ei pheintio. Yr oedd
y bont, gyda'i bwa uchel dros Afon
Taf a'i hochrau wedi eu tyllu i lei-
hau'r pwysau, yn olygfa boblo-
gaidd yn Ne Cymru.
Prynwyd 1983. NMW A 31,421

73

74

7. Celfyddyd Ffrengig o Gyfnod Clasuriaeth i'r Cyfnod Ôl-Argraffiadaeth

Er bod tarddiad Neo-Glasuriaeth yn Ffrainc yn dyddio o flynyddoedd olaf yr Ancien Régime, ffynnai'r mudiad yn ystod y Weriniaeth a'r Ymerodraeth ac yr oedd wedi ymsefydlu'n gadarn fel arddull swyddogol Académie des Beaux-Arts ym Mharis tan ganol y bedwaredd ganrif ar bymtheg. Yr oedd ei ddylanwad lawn mor drwm ar bensaernïaeth Ffrengig a'r celfyddydau cymhwysol, o addurno mewnol i ddodrefn a phorslen. Yr oedd astudio'r hen feistri Hynafol a Chlasuro, megis Raphael, yn ganolog i'r maes llafur Neo-Glasurol ac uchafbwynt hwnnw oedd y Prix de Rome werthfawr, a enillwyd gan Jacques-Louis David (1748-1825) ym 1774. Treuliodd ei fyfyriwr François-Marius Granet y rhan fwyaf o'r cyfnod 1802-24 yn Rhufain a chafodd ei ethol yn aelod o'r Academi ym 1824. Yr oedd golygfeydd mewnol anferth Granet, gydag effeithiau golau oeraidd, yn ffefrynnau gan Louis Philippe, Brenin y Ffrancod o 1830 tan 1848. Dirywiodd arwyddocâd canolog peintio hanes yn raddol nes sefydlu ail Prix de Rome ar gyfer tirluniau ym 1816, ac ym 1831 agorwyd y Salon ei hun i beintwyr tirluniau. Un o'r rheiny oedd Jean-Baptiste-Camille Corot, a fyddai'n peintio yn yr awyr agored o 1822 ac a fu yn Rhufain droeon rhwng 1825 a 1843. O'r 1850au, datblygodd Corot yn greadigol draddodiad Claude mewn cyfres o dirluniau Clasurol a ddaeth yn ffasiynol tu hwnt ar ôl i Napoleon III brynu un yn Salon 1855.

Yn dilyn y Chwyldro ym 1848, agorwyd Salon 1848 a 1849 i bawb, a detholwyd Salon 1850-51 gan bwyllgor o'r Wladwriaeth. O ganlyniad, cafodd y peintwyr Realist Gustave Courbet, Jean-François Millet a Honoré Daumier eu cynrychioli'n dda am y tro cyntaf. I naturioldeb peintwyr cynharach yr ysgol Barbizon, megis Corot a Daubigny, yr oedd y Realwyr yn ychwanegu elfen o feirniadaeth gymdeithasol. Yng ngwaith Millet, a oedd ei hun yn perthyn i deulu gwerinol ac a ymsefydlodd yn Barbizon ym 1849, yr oedd y cynnwys gwleidyddol ychydig yn llai amlwg. Byddai Millet yn gwadu ei fod yn sosialydd, ac meddai: "Rwyf am i'r bobl rwyf yn eu peintio edrych fel pe baent wedi ymroi i'w safle, fel pe bai'n amhosibl iddynt feddwl am fod yn unrhyw beth arall". Yr oedd Daumier yn weriniaethwr ymroddedig, ac am y rhan fwyaf o'i yrfa enillai ei fywoliaeth drwy gynhyrchu lithograffau dychanol ar gyfer papurau rhyddfrydol. Byddai hynny'n aml yn achosi iddo wrthdaro â'r awdurdodau, ac ym 1832 cafodd ei garcharu am chwe mis ar ôl tynnu llun cartŵn o Louis-Philippe fel Gargantua barus. Er bod y beirniad Baudelaire yn un o ddilynwyr cynnar ei waith, gan ddweud bod "Daumier yn tynnu lluniau yn well, hwyrach, na Delacroix, os yw'n well gennych nodweddion iachus, grymus", ni allai fyth gael dau ben llinyn ynghyd o beintio'n unig. Ar raddfa fach y byddai ei gyfansoddiadau fel rheol, yn rhoi sylw eironig ond dynol i fywyd trefol, yn cymryd ochr y dosbarthiadau is yn erbyn ymffrost y bourgeoisie balch a llygredig. Pan ddechreuodd ei ddallineb cynyddol gymylu blynyddoedd olaf Daumier, darparodd ei gyfaill masnachol lwyddiannus Corot dŷ iddo yn y wlad.

Yn dilyn enghraifft Corot, daeth peintio yn yr awyr agored yn gynyddol boblogaidd o'r 1850au. Un o'r arloeswyr oedd yr arlunydd morwrol Louis-Eugène Boudin, a gyflwynodd Claude Monet i beintio yn yr awyr agored tua 1856. Ym 1859, peintiodd Edouard Manet yr *Yfwr Absinthe*, sydd erbyn hyn yn y Ny Carlsberg Glyptothek yn Copenhagen. Hwn oedd y cyntaf o gyfres o gyfansoddiadau rhyfeddol a fu'n gyfrwng i fywiocáu a thrawsffurfio'r traddodiad Clasurol mewn celfyddyd Ffrengig drwy droi o'r newydd at beintio Sbaen a'r Isalmaen yn yr ail ganrif ar bymtheg gan ddelio â materion cymdeithasol cyfoes. Yn wahanol i'w gyfaill Tissot, yr oedd ei bortreadau a'i beintiadau *genre* yn eithriadol o lwyddiannus yn y Salon a'r Academi Frenhinol, cafodd Manet ei wrthod gan y sefydliad academaidd a'i gefnogi gan feirniaid rhyddfrydol megis Baudelaire a Zola. I gydnabod y nifer fawr o beintwyr a wrthodwyd gan y Salon, trefnwyd Salon des Refusés ym 1863. Ymhlith yr arddangoswyr yr oedd Manet, Boudin, Fantin-Latour, Pissarro, Whistler a Cézanne. Oherwydd anghymeradwyaeth swyddogol a phenbleth y cyhoedd, nid ail-adroddwyd yr arbrawf hwnnw erioed. Erbyn diwedd y 1860au, yr oedd nifer o arlunwyr ifanc wedi crynhoi o gwmpas Manet. Oherwydd gwrthwynebiad y Salon, bwriadent rentu lle i arddangos eu gwaith eu hunain a gwaith peintwyr eraill wedi eu gwahodd. Chwalwyd y grŵp dros dro gan y Rhyfel Ffranco-Prwsaidd a'r Commune ym 1870-1, a chynhwysai'r grŵp hwnnw Monet, Renoir, Sisley, Fantin-Latour, Degas, Morisot a Cézanne. O ganlyniad, ni ddigwyddodd arddangosfa gyntaf y Société Anonyme des artistes, peintres, sculpteurs, graveurs, etc. tan 1874.

Mae'r teitl anhysbys bwriadol Société Anonyme yn adlewyrchu amrywiaeth eithriadol ei syniadaeth. Defnyddiwyd y term "Argraffiadol" wedyn i'r arddangosfa a ddeilliodd o un o gyflwyniadau Monet, *Impression, soleil levant*, a deialog ddychanol a gyhoeddwyd yn *Le Charivari* ddeg diwrnod ar ôl ei agoriad. Yr oedd yn annog pwrpas cymunedol, ac yn ystod yr haf ar ôl yr arddangosfa aeth Monet, Renoir a Manet i gyd i beintio yn Argenteuil ar Afon Seine. Ym 1877, cefnogodd y Société Anonyme y label arddulliadol hwn yn nheitl ei thrydedd arddangosfa, ond pan drefnwyd y bedwaredd ym 1879, cynigiodd Degas yn rhesymol ond yn aflwyddiannus y dylid mabwysiadu'r term "Annibynwyr, Realwyr ac Argraffiadwyr". Gan ei fod yn dal i obeithio am y gydnabyddiaeth swyddogol a gafodd ei gohirio tan ychydig cyn ei farwolaeth, gwrthododd Manet arddangos gyda'r grŵp o anghydffurfwyr. O'r wyth arddangosfa a gynhaliwyd rhwng 1874 a 1886, cynhwyswyd Renoir a Sisley mewn pedair, Monet mewn pump, Degas a Morisot mewn saith a Pissarro yn unig ymhob un ohonynt. Trefnodd y deliwr Durand-Ruel y seithfed arddangosfa ym 1882. Yn ystod y flwyddyn wedyn, cyflwynodd sioeau un-dyn o waith Monet, Renoir, Pissarro a Sisley ac allforiai arddangosfeydd o beintiadau Argraffiadol i Lundain, Boston, Rotterdam a Berlin. O ganlyniad i'r llwyddiant masnachol cynyddol graddol hwn, yr oedd cylch gwaith y Société Anonyme wedi mynd yn gynyddol afraid erbyn ei harddangosfa olaf ym 1886. Yn ystod y flwyddyn honno, cafodd Renoir a Monet gydnabyddiaeth swyddogol drwy eu cynnwys yn Exposition Internationale y deliwr Georges Petit. Yr oedd diddordeb eithafol yr Argraffiadwyr mewn effeithiau diflanedig a naturiaethol golau a lliw, ynghyd â phynciau wedi eu tynnu o fywyd bob dydd, wedi trawsnewid peintio Ffrengig ac wedi dod yn brif ddylanwad yn y byd celfyddyd rhyngwladol.

Cafodd dymchweliad awdurdod y Salon ei gadarnhau ym 1884 pan sefydlwyd y Société des Artistes Indépendants, a gâi gefnogaeth peintwyr blaengar y tu allan i'r cwmpas Argraffiadol. Arddangosai Van Gogh gyda hwy o 1888, ond bu farw ym 1890. Cafodd Cézanne ei gynnwys yn yr arddangosfeydd argraffiadol ym 1874 a 1877, ond ym 1886 gadawyd arian iddo mewn ewyllys. Gan nad oedd arno angen yn ariannol mwyach, gadawodd Baris ac aeth i weithio yn awyrgylch gymharol ynysig Aix-en-Provence, a bu bron iddo roi'r gorau i arddangos nes i arddangosfa fawr o'i waith gael ei threfnu ym 1895. Bu Van Gogh a Paul Gauguin yn rhannu stiwdio am gyfnod byr ym 1888, ond ar ôl eu marw yn unig y cafodd llwyddiant eu penderfyniad ar y cyd â Cézanne i ddychwelyd at syniad mwy ffurfiol o beintio ei gydnabod. Dyfeisiwyd y term "Ôl-

Argraffiadol" ym 1910, ymhell ar ôl i'r tri farw. O 1886, byddai'r Symbolyddwyr yn dadlau mai man cychwyn i gelfyddyd yn unig oedd gwrthrychedd, yn hytrach na diben ynddo'i hun, fel ym mheintiadau Monet yn y 1890au. Yr oedd Symbolaeth yn fudiad a oedd yn gyffredin i lenyddiaeth a cherddoriaeth yn ogystal â'r celfyddydau gweledol, a phwysleisiai bwysigrwydd yr ysbrydol a'r cyfrin. Er gwaethaf parch Auguste Rodin at Hynafiaeth Glasurol a Michelangelo, yr oedd ei realaeth yn anghydnaws â gwedduster academaidd. Byddai ei gerfluniau yn aml yn defnyddio pynciau Clasurol, ond mae eu teitlau yn dangos diddordeb sylfaenol mewn nodweddion ysbrydol. Gweriniaethwr oedd Eugène Carrière, cyfaill Rodin, a theimlai'n gryf dros ddynoliaeth. Mae ei beintiadau niwlog, unlliw yn osgoi lliw er mwyn pwysleisio cyflyrau emosiynol. I fynegi syniadau mor anwadal â hynny, byddai'n rhaid i'r Symbolyddwyr yn aml ddychwelyd at ffurfiau traddodiadol alegori, a bu eu gwaith yn gymharol lwyddiannus yn y Salon. Fodd bynnag, yr oedd eu diddordeb yn yr anhraethol yn bwydo'r pynciau cynyddol gymhleth mewn celfyddyd fodern, yn union fel yr oedd darganfyddiadau'r Argraffiadwyr a'r Ôl-Argraffiadwyr yn porthi ei rhaglen ffurfiol.

75. (i) Bwced hufen iâ, Sèvres
1818-20
porslen past-caled
U 33.6cm
Er mwyn symud i ffwrdd oddi wrth grandrwydd ffurfiol yr arddull Ymerodrol at naturioldeb y 1820au, cyflogodd Sèvres yr arlunydd adar Pauline Knip i weithio ar y *service des oiseaux de l'Amèrique Méridionale*. Cafodd y bwced hwn, un o bâr o'r set, ei ddarparu i'r palas yn St Cloud ym 1824. Prynwyd 1988. NMW A 30,143

75.(ii) Bwced hufen iâ, Sèvres
1811-7
porslen past-caled
U 33.5cm
Mae porslen Sèvres o ddechrau'r 19eg ganrif yn aml o safon eithriadol. Ar y bwced hufen iâ hwn mae darluniau cameo o Julius Caesar ac Alexander Fawr wedi eu peintio gan Jean-Marie Degault. Yr oedd yn rhan o'r *service iconographique grèc*, a ddechreuwyd ar gyfer Napoleon ym 1811 a'i rhoi'n ddiweddarach i'r Pab Pius VII. Prynwyd 1989. NMW A 30,050

75

76. Francois-Marius Granet
(1775-1849)
Côr Eglwys Capuchin Rhufain 1817
olew ar gynfas
194.3 × 147.3 cm
Y cefndir yw côr Santa Maria della

Concezione. Ym 1809 meddiann-
odd Napoleon y Taleithiau
Pabaidd a diddymwyd y mynach-
logydd Rhufeinig. Nid oedd
Granet o blaid hynny a cheisiodd
gyfleu heddwch clas wedi dadfeilio.

Yr oedd hwn yn un o'i gyfansodd-
iadau mwyaf llwyddiannus a
pheintiwyd sawl fersiwn ohono.
Prynwyd 1979. NMW A 481

76

77

77. Honoré Daumier (1808-79)
Cinio yn y wlad
olew ar banel
25.4 × 33 cm
Daw'r darlun hwn o tua 1868. Yn
anarferol i Daumier, cafodd ei
weithio o fraslun olew maint llawn
ac y mae'n rhugl ac yn orffenedig
iawn. Daeth golygfeydd gwladaidd
o bobl yn yfed gwin ac yn bwyta
yn yr awyr agored yn thema bob-
logaidd ymhlith yr Argraffiadwyr.
Prynwyd y gwaith hwn gan Gwen-
doline Davies ym Mharis ym 1917.
Cymynnwyd gan Gwendoline
Davies 1952. NMW A 2449

78

**78. Jean-Baptiste-Camille
Corot** (1796-1875)
*Castel Gandolfo, bugeiliaid Tyrol yn
dawnsio wrth Lyn Albano*
olew ar gynfas
48.3 × 64.8 cm
Mae'r cyfansoddiad hwn o
1855-60 wedi ei osod mewn golau
hwyrnos ac mae'n dangos Llyn
Albano gyda phalas haf y Pab,
Castel Gandolfo, yn y cefndir. Mae
bugeiliaid y Tyrol yn dawnsio yn
elfennau pryderth ond anaddas
mewn tirlun i'r de o Rufain. Mae'r
tirlun hwn yn dangos Corot o dan
ddylanwad Claude Lorrain ar ei
gryfaf. Cafodd ei brynu gan Gwen-
doline Davies ym 1909.
Cymynnwyd gan Gwendoline
Davies 1952. NMW A 2443

79

79. Jean-François Millet
(1814-75)
Chwa o wynt
olew ar gynfas
90 × 117 cm
Mae'r darlun hwn wedi ei osod ar
benrhyn gwyntog La Hague, sy'n
ymwthio allan i Fôr Hafren i'r
gorllewin o Cherbourg. Mae'n
bosibl fod yr olygfa'n ein hatgoffa
o storm enbyd ym mis Hydref a
achosodd lanastr ym mhentref

genedigol Millet yn Gruchy pan
oedd yn fachgen. Er i hwn gael ei
beintio ym 1871-3, mae'n dangos
effaith barhaus Rhamantiaeth.
Cafodd y gwaith hwn effaith fawr
ar y peintiwr Prydeinig Sickert.
Arferai fod yng nghasgliad arben-
nig Henri Rouart a chafodd ei
brynu gan Margaret Davies ym
1937.
Cymynnwyd gan Margaret Davies
1963. NMW A 2475

80. Jean-François Millet
(1814-75)
Merch y gwyddau yn Gruchy
olew ar gynfas
30.5 × 22.9 cm
Er i hwn gael ei beintio yn Barbi-
zon ym 1854-6, ysbrydolwyd yr
olygfa gan ymweliad Millet â man
ei eni yn ystod yr haf 1854. Y tu ôl
i'r ferch mae'r gwyddau'n yfed dŵr
mewn nant sy'n rhedeg i lawr ar
hyd ymyl serth y bryn i'r môr. Mae
tai Gruchy, pentref ger Cherbourg,
i'w gweld yn y cefndir ar y chwith.
Mae'r olygfa fugeiliol orffenedig
hon yn perthyn i arddull a oedd yn
boblogaidd iawn ymhlith casglwyr
o Brydain. Prynwyd hwn gan J.
McGavin o'r Alban ym 1878 ac
yna gan Gwendoline Davies ym
1909.
Cymynnwyd gan Gwendoline
Davies 1952. NMW A 2479

80

81

81. James Tissot (1836-1902)
Newyddion drwg (Y gwahanu) 1872
olew ar gynfas
68.6 × 91.4 cm
Ganed Tissot yn Nantes a bu'n
astudio ym Mharis, ond treuliodd
1871-1882 yn Lloegr. Mae iddo'i le
yn y mudiad *genre* "Bywyd
Modern" Prydeinig yn ogystal ag
ar gyrion Argraffiadaeth Ffrengig.
Mae hwn yn un o gyfres o ddarlun-
iau a ysbrydolwyd gan gelfyddyd
Brydeinig y 18fed ganrif, sy'n ad-
drefnu modelau mewn gwisgoedd a
phropiau o flaen golygfa a welir
drwy ffenestr lydan. Ym 1874
gosododd Tissot ffenestr felly yn ei
stiwdio yn Llundain.
Cymynnwyd gan William Mene-
laus 1882. NMW A 184

82. Berthe Morisot (1841-95)
Yn Bougival 1882
olew ar gynfas
59.6 × 73 cm
Daeth Morisot o dan ddylanwad
Manet yn drwm, a phriododd ei
frawd Eugène ym 1874. Yn y
flwyddyn honno dangosodd ei
gwaith yn yr Arddangosfa
Argraffiadol gyntaf. Peintiwyd yr
olygfa hon *en plein air* yn Bougival,
i'r gorllewin o Baris, lle bu'r arlun-
ydd yn aros yn ystod yr haf ym
1881 a 1882. Mae'n debyg mai ei
merch Julie, a aned ym 1878, a'i
morwyn Paisie yw'r ddwy
eisteddwraig.
Cymynnwyd gan Margaret Davies
1963. NMW A 2491

83. Edouard Manet (1832-83)
Argenteuil, cwch (astudiaeth) 1874
olew ar gynfas
59 × 81.3 cm
Yn yr awyr agored y peintiodd
Manet yr astudiaeth hon gan
mwyaf, yn Argenteuil, i lawr ar
hyd Afon Seine o Baris. Mewn
tywydd mwll, mae tri chwch
hwylio wedi eu hangori gyda'i
gilydd a'u mastiau'n cael eu hadle-
wyrchu yn y dŵr llwyd. Yn y cefn-
dir mae dau gwch byw hir, un
gwyn ac un du, wrth angor ar ochr
yr afon wrth ymyl rhes o goed, a'r
tu hwnt mae simnai fawr yn
chwydu mwg. Prynodd Margaret
Davies y gwaith hwn ym Mharis
ym 1920.
Cymynnwyd gan Margaret Davies
1963. NMW A 2467

82

83

84

84. Claude Monet (1840-1926)
Afon Tafwys yn Llundain 1871
olew ar gynfas
48.9 × 73.7 cm
Daeth Monet i Lundain ym 1871 i
ddianc rhag y rhyfel rhwng Ffrainc
a Phrwsia. Mae'r olygfa hon o
Lundain yn dangos Pwll Llundain
gyda'r Tŷ Cwstwm ar y dde a
Phont Llundain yn cefndir.
Magwyd Monet yn Le Havre ac yr
oedd golygfeydd o'r môr yn destun
rhyfeddod iddo. Byddai'n gweithio
yn yr awyr agored, *en plein air*, ar ôl
y 1850au. Ym 1868 meddai Emile
Zola yn frwd: "Mae wedi ei fagu ar
laeth ein hoes ... Mae'n caru gor-
welion ein dinasoedd, y darnau
llwyd a gwyn a wneir gan ein tai
yn erbyn golau'r awyr."
Prynwyd 1980. NMW A 2486

85. Pierre-Auguste Renoir
(1841-1919)
Y Ferch o Baris 1874
olew ar gynfas
160 × 105.4 cm
Ym 1874 cynhwyswyd y darlun
hwn yn yr Arddangosfa Argraff-
iadol gyntaf. Yr eisteddwraig oedd
Madame Henriette Henriot, a fu'n
actio yn yr Odéon ym 1863-8.
Byddai Renoir yn ei defnyddio'n
aml fel model. Mae'r teitl *Y Ferch o
Baris* yn awgrymu ei bod yn cynry-
chioli math yn hytrach na pherson
arbennig. Yr oedd y gwaith hwn
gynt yng nghasgliad enwog Henri
Rouart, a phrynodd Gwendoline
Davies ef ym 1913.
Cymynnwyd gan Gwendoline
Davies 1952. NMW A 2495

85

86

86. Eugène Carrière (1849-1906)
Y cwpan tun
olew ar gynfas
57.1 × 72.4 cm
Ganed yr arlunydd yn Strasbourg
a symudodd i Baris ym 1869.
Mae'r cyfansoddiad hwn o tua
1888 yn un o nifer o ddarluniau
gyda themâu mamol, yn defnyddio
gwraig Carrière fel model. Er bod
parch mawr iddo ac er ei fod yn un
o gyfeillion Degas a Rodin, dif-
lannodd ei enw da yn gyflym ar ôl
ei farw. Yr oedd Gwendoline
Davies yn arbennig o hoff o'r
awyrgylch yn ei arddull. Prynodd
y darlun hwn ym Mharis ym 1917.
Cymynnwyd gan Gwendoline
Davies 1952. NMW A 2437

87. Henri Fantin-Latour
(1836-1904)
Anfarwoldeb, 1889
olew ar gynfas
116.8 × 87.6 cm
Bu farw Delacroix ym 1863. Y
flwyddyn wedyn peintiodd Fantin-
Latour bortread grŵp o'i ddisgyb-
lion o gwmpas delw o'r meistr.
Penderfynodd yn ddiweddarach
roi'r deyrnged alegoriol hon. Mae'r
ffigur *Anfarwoldeb* yn dal palmwydd
llwyddiant ac yn gwasgaru rhosod
ar fedd Delacroix, gyda'r arysgrif
DEL. Ar y dde ar y gwaelod mae
dau dŵr eglwys Gadeiriol Nôtre
Dame a tho y Panthéon, yr allor
genedlaethol i feibion enwog
Ffrainc.
Prynwyd 1974. NMW A 2462

88. Auguste Rodin (1840-1917)
Y gusan
efydd
U 183 cm
Daw *Y gusan* o grŵp sy'n cynrych-
ioli'r cariadon trist Paolo a Fran-
cesca yn *Inferno* Dante. Ym 1887,
comisiynodd Gwladwriaeth Ffrainc
fersiwn farmor fwy na'r ffigurau
gwirioneddol, a arddangoswyd
gyntaf ym 1898. Cafodd y darn
efydd hwn ei gastio gan Alexis
Rudier, a ddaeth yn sefydlydd i
Rodin ym 1902. Prynwyd y gwaith
gan Gwendoline Davies ym 1912 a
chafodd ei gynnwys yn yr *Arddang-
osfa Fenthyg* a drefnwyd gan
Amgueddfa Genedlaethol Cymru
ym 1913.
Rhoddwyd gan Gwendoline
Davies 1940. NMW A 2499

87

88

89. Auguste Rodin (1840-1917)
Sant Ioan yn pregethu 1879-80
efydd
U 206 cm
Yr oedd Ioan Fedyddiwr yn destun
poblogaidd ymhlith cerflunwyr y
Salon, a fyddai fel rheol yn cyfleu
corff ifanc yn hytrach na sant
aeddfed. Llwyddwyd i gael y safiad
hwn yn hollol ddifyryr gan nofis o
fodel o'r enw Pignatelli pan ddy-
wedodd Rodin wrtho am ddechrau
cerdded. Model arall oedd y pen.
Cafodd y gyfres efydd y mae'r
gwaith hwn yn perthyn iddi ei cha-
stio gan Alexis Rudier, a ddaeth yn
sefydlydd i Rodin ym 1902. Pryn-
wyd y gwaith gan Margaret Davies
ym Mharis ym 1913.
Rhoddwyd gan Margaret Davies
1940. NMW A 2497

90. Edgar Degas (1834-1917)
*Dawnswraig yn edrych ar wadn ei
throed dde*
efydd
U 45.7 cm
Modelodd Degas nifer o ffigurau,
yn fwy fel archwiliad annibynnol
o ffurf nag fel cam rhagarweiniol
wrth gynhyrchu cerflun gorffen-
edig. Ym 1919-21 cafodd cyfresi
efydd o saith deg tri o ffigurau a
ddarganfyddwyd yn ei stiwdio eu
cynhyrchu gan y ffowndri Héb-
rard. Cafodd y ffigur hwn ei fode-
lu'n wreiddiol tua 1890, ac mae'n
adlewyrchu sylwadaeth uniongyr-
chol a gwybodaeth am gerfluniaeth
Glasurol. Prynodd Gwendoline
Davies y cast hwn ym 1923.
Cymynnwyd gan Gwendoline
Davies 1952. NMW A 2458

89

91

91. Claude Monet (1840-1926)
Y lili ddŵr 1905
olew ar gynfas
78.7 × 96.5 cm
Ym 1890 prynodd Monet y tŷ yn
Giverny i'r gogledd-orllewin o
Baris, a bu'n byw yno weddill ei
oes. Ym 1893 prynodd lyn fawr
gerllaw a'i gwneud yn ardd ddŵr.
O 1899 câi ei swyno gan y llyn, y
bont drosti a'i lili ddŵr (*nympheas*)
yn nofio ar ei hwyneb. Mae hwn
yn un o dri gwaith o ail gyfres
Monet o'r *Lili ddŵr* a brynwyd gan
Gwendoline Davies ym Mharis ym
1913.
Cymynnwyd gan Gwendoline
Davies 1952. NMW A 2484

92. Claude Monet (1840-1926)
*Eglwys Gadeiriol Rouen: yr haul yn
machlud (Symffoni mewn Llwyd a
Phinc)*, 1892-4
olew ar gynfas
99 × 63.5 cm
Dechreuodd Monet ei gyfres o fwy
na deg ar hugain o olygfeydd o
Eglwys Gadeiriol Rouen ym mis
Chwefror 1892. Dychwelodd ym
mis Chwefror 1893 a'i gorffen yn
Giverny ym 1893-4. Mae'r olygfa
hon o'r eglwys gadeiriol yn y
machlud yn un o ugain *Eglwys
Gadeiriol* a gafodd ganmoliaeth
uchel iawn gan y beirniaid ym
Mharis ym 1895. Fel cofnod o'r
ffordd mae golau yn trawsnewid
golwg motiff, mae'r gyfres yn dod
yn agos iawn at derfynau Argraff-
iadaeth "wyddonol". Prynodd
Gwendoline Davies y gwaith hwn
ym Mharis ym mis Rhagfyr 1917.
Cymynnwyd gan Gwendoline
Davies 1952. NMW A 2482

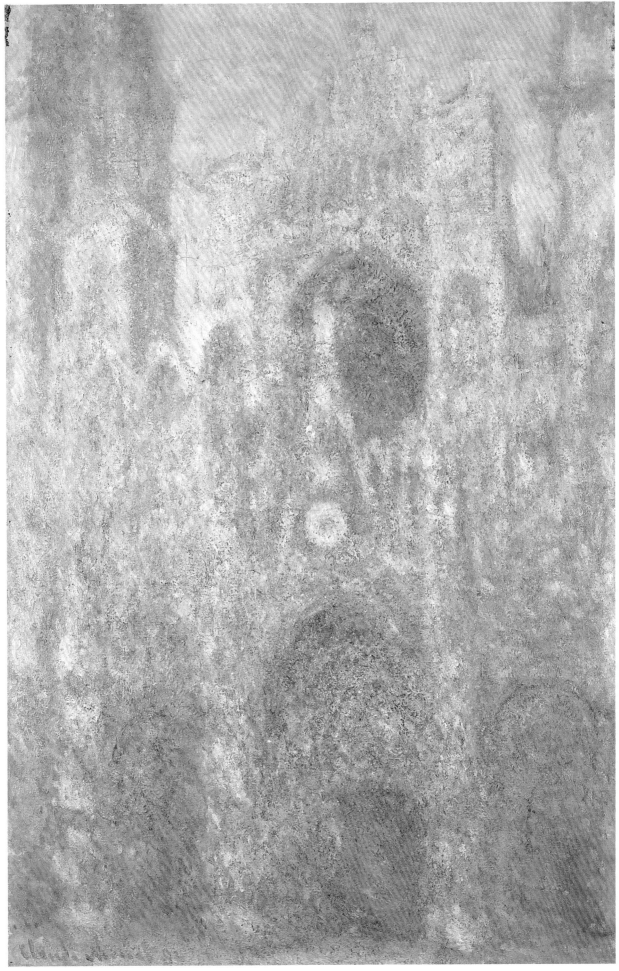

92

93

93. Paul Cézanne (1839-1906)
Canol dydd, l'Estaque
olew ar bapur wedi ei osod ar
gynfas
52.3 × 72.4 cm
Byddai Cézanne yn aml yn
ymweld â bryniau l'Estaque, ychy-
dig i'r gorllewin o Marseilles.
Daw'r olygfa hon o 1878-9 neu
1883-4. Mae'r cyfansoddiad eith-
riadol wastad sydd wedi ei fynegi'n
syml yn ein hatgoffa o sylwadaeth
Cézanne fod tirwedd Provencal

"fel cerdyn chwarae, toeon coch
uwchben môr glas... Mae'r haul
mor danbaid yma fel y bydd
gwrthrychau i mi i'w gweld fel
amlinellau... mewn glas, coch,
brown a fioled... mae hynny i mi
yn ymddangos fel y gwrthwyneb i
fodelu." Prynodd Gwendoline
Davies y gwaith hwn ym Mharis
ym 1918.
Cymynnwyd gan Gwendoline
Davies 1952. NMW A 2439

94

94. Paul Cézanne (1839-1906)
Bywyd llonydd gyda thebot
olew ar gynfas
58.4 × 72.4 cm
Byddai Cézanne yn peintio darlun-
iau bywyd llonydd gydol ei yrfa,
ond daw'r goreuon o'i flynyddoedd
olaf. Mae'r cyfansoddiad hwn yn
un o nifer gyda ffrwythau, llysiau,
llestri a darnau o ddefnydd wedi eu
trefnu ar fwrdd sydd i'w weld o
hyd yn ei stiwdio yn Aix-en-
Provence. Mae'r gwrthrychau'n
berthnasol i'r plygiadau yn y
bwrdd – fel patrymau carped
mewn tirwedd. Prynodd Gwendo-
line Davies y gwaith hwn ym
Mharis ym 1920.
Cymynnwyd gan Gwendoline
Davies 1952. NMW A 2440

95

95. Vincent van Gogh (1853-90)
Glaw: Auvers 1890
olew ar gynfas
48.3 × 99 cm
Ym mis Mai 1890, symudodd van Gogh i bentref Auvers-sur-Oise, i'r gogledd o Baris, lle y lladdodd ei hun ddau fis yn ddiweddarach. Yn ei lythyr olaf, dywedodd ei fod "wedi llwyr ymgolli yn yr ardal helaeth o gaeau gwenith yn erbyn y bryniau, mor ddiderfyn â'r môr, o liw melyn cain, lliw gwyrdd cain, fioled cain darn o bridd wedi ei droi a'i chwynnu." Daw'r ffordd y mae'n trin y glaw fel llinellau lletraws o'r toriad pren *Pont yn y glaw* gan yr arlunydd Siapaneaidd Hiroshige. Prynwyd y gwaith hwn gan Gwendoline Davies ym Mharis ym 1920.
Cymynnwyd gan Gwendoline Davies 1952. NMW A 2463

8. Celfyddyd ym Mhrydain o Sefydlu'r Academi Frenhinol i'r Clwb Celfyddyd Seisnig Newydd

Oherwydd sefydlu'r Academi Frenhinol ym 1768, roedd gan arlunwyr Prydain faes llafur, man arddangos a hierarchaeth. Er na chafodd yr Academi erioed yr enw na'r grym awdurdodol a oedd gan y corff cyfatebol yn Ffrainc, parhaodd yn brif rym celfyddyd Brydeinig o deyrnasiad George III tan ar ôl marw ei wyres, y Frenhines Victoria. Gwnaeth y llywydd cyntaf, Syr Joshua Reynolds, lawer i godi statws peintio'n gyffredinol a phortreadu'n arbennig. Cydnabyddwyd y rhagoriaeth honno ym 1784 pan benodwyd ef yn Brif Beintiwr i'r Brenin, er gwaethaf y ffaith fod ei gystadleuydd Thomas Gainsborough yn fwy poblogaidd yn y llys. Yr oedd Gainsborough yn un o aelodau sylfaenol yr Academi, ond byddai'n aml yn cweryla â'r Academi a pheidiodd ag arddangos yno ym 1784 ar ôl anghytuno am hongian portread triphlyg o ferched y Brenin. Yr oedd Gainsborough hefyd yn beintiwr tirluniau medrus, yn tynnu ar gyfansoddiadau rhamantaidd Rubens a Watteau yn hytrach na ffynonellau Eidalaidd clasurol Richard Wilson. Cafodd ddylanwad sylweddol ar beintwyr tirluniau iau, megis Thomas Barker, ond ar John Constable y bu ei ddylanwad mwyaf sylfaenol. Ym 1799, pan oedd yn ddyn ifanc, ysgrifennodd Constable o Suffolk: "Mae hon yn wlad eithriadol i beintiwr tirluniau, a dychmygaf fy mod yn gweld Gainsborough ymhob perth a choeden gau".

Ym 1793, aeth Gweriniaeth Ffrainc i ryfel yn erbyn Prydain, ac ar wahân i gyfnodau byrion, parhaodd y ddwy wlad yn benben tan i Napoleon gael ei drechu yn Waterloo ym 1815. Am yn agos i ugain mlynedd, yr oedd bron yn amhosibl i bobl Prydain ymweld â chyfandir Ewrop. Torrwyd ar draddodiad y Daith Fawr, a byddai peintwyr a beirdd yn chwilio am ysbrydoliaeth yn nhirwedd Cymru a Lloegr. Gan na allent deithio i wledydd tramor, ac o'u gwneud yn fwy gwladgarol gan ryfel hir, daeth noddwyr hefyd yn gynyddol ymwybodol o harddwch unigryw cefn gwlad Prydain. Yr oedd yr amgylchiadau hyn yn annog twf ysgol o beintio a oedd yn fwy gwirioneddol genedlaethol, a'r ddau brif gymeriad oedd Constable a J. M. W. Turner. Er bod Constable yn fwy gwrthrychol naturiolaidd, yr oedd gan Turner amrywiaeth ehangach ac yr oedd yn fwy agored i themâu llenyddol a chelfyddyd y gorffennol. Yr oedd gan y ddau syniad deinamig am dirwedd yn cael ei thrawsnewid gan effeithiau atmosfferaidd. Drwy gydol ei fywyd, yr oedd gan Turner gysylltiad agos â'r Academi Frenhinol, a daeth yn Ddirprwy Lywydd ym 1845. Gwnaed Constable yn academydd llawn ym 1829 yn unig, bum mlynedd ar ôl ennill medal aur yn y Salon ym Mharis. Gwnaeth ei beintiadau effaith sylweddol ar Delacroix a'r peintwyr Barbizon, ond cyfyngedig oedd dylanwad Turner cyn y 1870au, pan fu'r Argraffiadwyr ifanc Pissarro a Monet ar ymweliad â Llundain. Hyd yn oed pan oedd Constable a Turner yn mawrygu tirwedd Prydain, yr oedd darnau helaeth ohoni'n diflannu o dan ddinasoedd a ffatrïoedd wrth iddynt ymledu. Daeth hiraeth am y gorffennol yn gyflym yn brif thema mewn peintio Prydeinig. Mae hyn yn amlwg i'w weld yn iaith symbolaidd bersonol iawn Samuel Palmer, sy'n mawrygu ffrwythlondeb y tir a symlrwydd gwledig byd sydd heb ei gyffwrdd gan y Chwyldro Diwydiannol.

Yn ystod hanner cyntaf y bedwaredd ganrif ar bymtheg, dechreuodd arlunio a dylunio Prydeinig fynd yn fwyfwy dewisol. Daeth gorffennol y Canol Oesoedd, a oedd ar y cychwyn yn ddylanwadol mewn gweithiau llenyddol a phensaernïol, megis nofelau Walter Scott a thai Gothig James Wyatt, yn thema gyson. Yr oedd i hynny naws genedlatholgar, yn enwedig mewn gwledydd a oedd wedi uno yn erbyn Napoleon, megis Prydain a rhanbarthau'r Almaen. Yr oedd beirniad celf mwyaf dylanwadol Prydain yn ystod y ganrif, John Ruskin, yn frwd iawn o blaid gruchafiaeth Turner dros yr holl beintwyr tirluniau eraill a phensaernïaeth Gothig fel y mwyaf moesol ac felly'r gorau o'r arddulliau adeiladu. Ym 1848, sefydlwyd y Frawdoliaeth Gyn-Raphaelaidd gan dri beintiwr ifanc, John Everett Millais, William Holman Hunt a Dante Gabriel Rossetti. Yr oeddent wedi hen flino â chonfensiynoldeb yr Academi Frenhinol yn ystod blynyddoedd cyntaf teyrnasiad y Frenhines Victoria, a cheisient gael eu harwain gan natur a chelfyddyd y bymthegfed ganrif a phynciau o'r Beibl a nofelau hanesyddol. Mab i athro a oedd wedi dianc o'r Eidal oedd Rossetti ac yr oedd hefyd yn fardd, a chyda'i ddiddordebau cyfunol gwnaeth gyfraniad helaeth i ystod a theimladrwydd celfyddyd Gyn-Raphaelaidd. Ar ôl i gyflwyniadau Millais a Holman Hunt i arddangosfa'r Academi Frenhinol ym 1851 gael eu beirniadu'n llym gan y beirniaid, ysgrifennodd Ruskin i *The Times* i'w hamddiffyn. Wedyn, daeth y Cyn-Raphaeliaid yn gynyddol dderbyniol gan y sefydliad celfyddydol a chan gylch o noddwyr cyfoethog dosbarth canol. Yr oedd Millais yn arbennig o lwyddiannus, gan iddo gael ei ethol yn gydymaith o'r Academi ym 1853 a dod yn llywydd ym 1896, sef y flwyddyn y bu farw.

Gyda derbyn y Cyn-Raphaeliaid i brif ffrwd celfyddyd cyfnod Victoria, gwelwyd yn gyflym ddirywiad y Frawdoliaeth wreiddiol, ond denodd gylch lawer ehangach o arlunwyr at ei ddelfrydau. Un o'r prif ffigurau yn y mudiad eilaidd hwn oedd Edward Burne-Jones. Tra oeddent yn fyfyrwyr yn Rhydychen, penderfynodd ef a'i gyfaill mynwesol a'i gyd-weithiwr, William Morris, ymroi i gelfyddyd. Er gwaethaf y ffaith iddo ddysgu ei hun bron yn llwyr, yn y 1870au daeth yn arweinydd ar ysgol newydd wedi ei hysbrydoli gan gelfyddyd y Dadeni yn yr Eidal ac yn ffigur o bwys yn y mudiad esthetig, gan ennill iddo'i hun enw sylweddol ym Mhrydain ac yn Ffrainc. Gyda Rossetti, yr oedd yn bartner yn Morris & Co, cwmni cydweithredol a sefydlwyd ym 1861 i gynhyrchu gwaith addurnol wedi ei ddylunio'n dda, fel rheol wedi ei ysbrydoli gan y Canol Oesoedd neu'r Dadeni. Yr oedd Alfred Gilbert eisoes wedi darganfod cerflunio Fflorens cyn dod yn gyfeillgar â Burne-Jones ym 1884. Daeth y cerflunydd ifanc yn gyflym o dan ddylanwad delweddau barddonol y peintiwr hŷn. Yr oedd Burne-Jones yn amheus o'r Academi Frenhinol a thua diwedd ei yrfa yn unig, rhwng 1885-93, y daeth yn aelod ohoni. Yr oedd Gilbert yn gysylltiedig iawn â'r peintiwr Clasuro, yr Arglwydd Leighton, llywydd

96. Thomas Gainsborough
(1727-88)
Tirwedd greigiog gyda Hagar ac Ishmael
olew ar gynfas
76.2 × 67.3 cm
Yn y gwaith hwn, unig waith crefyddol gwreiddiol Gainsborough, gwelir y fam a'i mab yn ymlwybro i'r anialwch. Gyda'i liwiau cyfoethog, tywyll mae'r darlun hwn yn draethawd ar arddull peintwyr yr 17eg ganrif, yn enwedig y Sbaenwr Murillo, a fu'n ddylanwad cryf ar Gainsborough yn y 1780au.
Prynwyd 1965. NMW A 100

96

yr Academi o 1878. Fel Leighton, daeth Gilbert yn un o bileri'r sefydliad celfyddydol. Gwnaed ef yn academydd llawn ym 1892, a bu fwy neu lai yn gerflunydd llys answyddogol yn ystod y 1890au gan dderbyn Urdd Frenhinol Victoria ym 1897.

Ym 1877, yn yr hyn a ddaeth yn adolygiad celf mwyaf enwog Prydain yng nghyfnod Victoria, mynegodd Ruskin ryw fath o ganmoliaeth i Burne-Jones: "nid yw dullweddau a chamgymeriadau'r darluniau hyn, beth bynnag fo eu cwmpas, fyth yn ffug nac yn ddiog". Parhaodd gydag ymosodiad grymus ar y peintiwr Americanaidd James McNeill Whistler, a fuasai'n byw yn Llundain er 1859: "Prin y gellir dweud cymaint am unrhyw ddarluniau eraill yn yr ysgolion modern: mae eu hynodrwydd bron bob amser i ryw raddau wedi ei orfodi; a'u hamherffeithrwydd wedi ei foddio yn ddialw amdano, os nad yn feiddgar . . . yr wyf wedi gweld a chlywed llawer am feiddgarwch y Cockney cyn hyn; ond ni ddisgwyliais erioed glywed coegyn yn gofyn am ddau gan gini am daflu pot o baent yn wyneb y cyhoedd." Yr oedd Whistler wedi dod yn gryf dan ddylanwad Manet, ac wedi arddangos gydag ef yn y Salon des Refusés ym 1863 a sylwadau Ruskin, mae'n debyg, yw'r *critique* Prydeinig cynharaf sydd gennym o beintio o'r math Argraffiadol. Aeth y peintiwr ag ef i'r llys am ei enllibio, ac er iddo lwyddo yn y llys, dyfarnwyd iddo ffyrling yn unig o iawn heb gostau, ac achosodd

hynny iddo fynd yn fethdalwr. Yr oedd Whistler wedi arddangos yn yr Academi Frenhinol droeon ym 1859-79, ond ym 1888 cyflwynodd waith ar gyfer arddangosfa gyntaf y Clwb Celfyddyd Seisnig Newydd. Yr oedd y corff hwnnw wedi ei sefydlu ddwy flynedd yn gynharach gan grŵp o arlunwyr ifanc fel cystadleuydd o ddifrif i'r Academi, ar hyd llinellau'r Société des Artistes Indépendants, a oedd wedi ei ffurfio ym Mharis ym 1884. Yr oedd nifer o'r sefydlwyr wedi eu hyfforddi yn Ffrainc, a dangoswyd eu teyrngarwch gan deitl arall a ystyriwyd ar gyfer y clwb, sef Cymdeithas y Peintwyr Eingl-Ffrengig. Bu'r peintiwr ifanc Philip Wilson Steer yn astudio ym Mharis ym 1882-4, a chyflwynodd am gyfnod byr i'r Academi ym 1883-5 cyn symud at y Clwb Celfyddyd Seisnig Newydd ym 1886. Daeth yn un o'r aelodau mwyaf teyrngar. Yr oedd Steer yn olynydd i Turner a Constable, yn ogystal â Whistler a'r Argraffiadwyr, ac yn brif gynrychiolydd peintio blaengar ym Mhrydain rhwng y 1890au a'r Rhyfel Byd Cyntaf. Er i'r Academi Frenhinol barhau'n sefydliad dylanwadol a pharchus, erbyn 1900 yr oedd wedi symud i ymylon y prif linellau datblygiad mewn celfyddyd Brydeinig. Yr oedd y dyfodol yn perthyn i uniadau a grwpiau cynyddol niferus o arlunwyr a'u cyfnod byr a'u hamcanion penodol yn mynegi cymhlethdod ac arbenigedd cynyddol celfyddyd yr ugeinfed ganrif.

97. Samuel Palmer (1805-81)
Codiad yr ehedydd
olew ar banel
30.9 × 24.5 cm
Ysbrydolwyd Palmer gan y bardd
a'r peintiwr William Blake i ymsef-
ydlu ym mhentref Shoreham yn
Swydd Gaint, lle datblygodd ddel-
weddau symbolaidd i ddathlu
cyfoeth y tir a symlrwydd y wlad.
Peintiwyd y tirlun hwn yn fuan ar
ôl iddo ddychwelyd o ymweliad â'r
Eidal ym 1839, a chafodd ei
ysbrydoli gan linellau o *L'Allegro*
gan John Milton, sef hoff fardd yr
arlunydd, o bosibl.
Rhoddwyd gan Sidney Leigh
drwy'r Gronfa Genedlaethol Cas-
gliadau Celf 1990. NMW A 361

**98. Joseph Mallord William
Turner** (1775-1851)
Drannoeth y storm
olew ar gynfas
32.6 × 54.4 cm
Byddai Turner yn peintio golyg-
feydd o'r môr gydol ei fywyd. Mae
ei weithiau diweddaraf, gyda'u syl-
wadaeth gynnil a dwys o effeithiau
golau ar ddŵr ac awyrgylch, yn
rhagweld darganfyddiadau'r
Argraffiadwyr. Mae'n debyg i'r
darlun môr hwn o 1840-5 a'i
gymar *Y Storm* gael eu hysbrydoli
gan storm fawr ar 21 Tachwedd
1840.
Cymynnwyd gan Gwendoline
Davies 1952. NMW A 434

97

98

99

99. John Constable (1776-1837)
Bwthyn mewn cae ŷd
olew ar gynfas
31.4 × 26.4 cm
Datblygodd Constable dechneg
eithriadol o rydd a byrfyfyr, ac yr
oedd yn ffigur allweddol ym
mheintio'r 19edd ganrif. Daw'r
darlun bach ond nodweddiadol
ddwys hwn o fwthyn ger man
geni'r arlunydd yn East Bergholt
yn Swydd Suffolk o fraslun a
wnaed ym 1815.
Prynwyd 1978. NMW A 486

100. Desg bengrom 1862
derw, argaenwaith a phîn tywyll
U 115.2 cm
Cynlluniwyd y ddesg hon gan y
pensaer John Pollard Seddon
(1827-1906) a chafodd ei dangos
yn yr Arddangosfa Ryngwladol ym
1862, lle cafodd ei gosod yn y Llys
Canol Oesol a drefnwyd gan Will-
iam Burges. Bu Seddon yn cyd-
weithio â John Pritchard yn adfer
Eglwys Gadeiriol Llandaf o 1852,
a threfnodd arddangosfa yng
Nghaerdydd ym 1856 a gynhwysai
weithiau gan nifer o arlunwyr Cyn-
Raphaelaidd.
Prynwyd 1982. NMW A 50,583

101. Llestr yfed, Jes Barkentin, Llundain 1870
Arian, gilt yn rhannol, gyda
cherrig lled-werthfawr
U 11.2 cm
Cynlluniwyd y llestr tal hwn ar ei
gyfer ei hun gan William Burges
(1827-81), ac mae'n dangos ei allu
i gyfuno defnyddiau ac arddulliau
mewn ffordd ddethol i gyfleu gwe-
ledigaeth bersonol iawn o'r Canol
Oesoedd. Gwelwyd hynny ar ei
orau yng Nghastell Caerdydd o
1866.
Prynwyd 1984. NMW A 50,497

102. Llestr, Minton 1859
Llestr pridd gyda gwydredd alcam
MINTON 1859 mewn arysgrif arno
AR DRAWS 43.5 cm
Peintiwyd y llestr gan y croche-
nydd Ffrengig Leon Arnoux,
Cyfarwyddwr Celf Minton o 1849,
lle cyflwynodd gyfres o lestri "mai-
olica". Daw ffigur canolog Ceres
o gynllun gan y peintiwr a'r
cerflunydd Alfred Stevens, prif
gynrychiolydd Adfywiad y Dadeni.
Prynwyd 1987. NMW A 30,162

100

101

102

103

103. Dante Gabriel Rossetti

(1828-82)
Rosamund Deg 1861
olew ar gynfas
51.9 × 41.7 cm

Bu Rossetti yn astudio gyda Ford
Madox Brown, un o gyfeillion agos
y Frawdoliaeth Gyn-Raphaelaidd.
Meistres Henry II (1138-89) oedd
Rosamund Deg. Mae'n ymdd-
angos yma y tu ôl i balis ym mhlas
brenhinol Woodstock. Yr oedd y
cortyn sidan coch yn ei llaw, yn ôl
y chwedl, yn rhybuddio bod ei
chariad gerllaw. Byddai'r
eisteddwraig, Fanny Cornforth, yn
aml yn modelu i Rossetti.
Cagliad Tŷ Turner 1921.
NMW A 169

104. Syr Alfred Gilbert

(1854-1934)
Icarus 1884
efydd
U 106.7 cm

Comisiynodd Frederic Leighton, yr
Arglwydd Leighton yn ddiweddar-
ach, waith efydd gan Gilbert ym
1882 gan adael i'r cerflunydd
ddewis ei destun. Dewisodd yntau
Icarus, mab chwedlonol y dyfeisiwr
Groegaidd Daedalus. Mae dylan-
wad Donatello i'w weld yn gryf ar
y gwaith hwn, sy'n un o
gampweithiau efydd y 19edd
ganrif. Yr oedd Icarus yn aml yn
symbol o beryglon uchelgais yr
ifanc, a byddai Gilbert yn ystyried
y gwaith hwn fel rhyw fath o
hunan-bortread seicolegol.
Rhoddwyd gan William Goscombe
John 1938. NMW A 116

105. Syr Edward Burne-Jones

(1833-98)
Olwyn ffawd
olew ar gynfas
152 × 73.7 cm

Mae'r darlun anorffenedig hwn o
tua 1882 yn dangos thema Ganol
Oesol olwyn ffawd, sy'n codi neu'n
gostwng dyn wrth iddi gael ei throi
gan y dduwies Fortuna. Mae
dylunio'r cyrff noeth a gwisg y
dduwies yn dangos bod yr arlu-
nydd wedi astudio Michelangelo.
Rhoddwyd gan Margaret Davies
1940. NMW A 206

104

105

106

106. James McNeill Whistler
(1834-1903)
*Nocturn, glas ac aur – Eglwys Sant
Marc, Fenis*
olew ar gynfas
44.55 × 59.7 cm
Ganed Whistler yn America a cha-
fodd ei hyfforddi ym Mharis cyn
ymsefydlu yn Lloegr. Peintiodd y
gwaith hwn yn ystod ei flwyddyn
yn Fenis ym 1879-80. Dywedodd
wedyn, "Rwy'n credu mai hwn
yw'r gorau o'r noctyrnau." Yr
oedd yr ymatal manyldeb a oedd
yn ymhlyg yng ngolygfeydd nos
Whistler yn gyfrwng i'w gred esth-
etig mai yn ei drefniant o linell,
ffurf a lliw yr oedd gwerth darlun
yn bennaf.
Cymynnwyd gan Gwendoline
Davies 1952. NMW A 210

107. Philip Wilson Steer
(1860-1942)
Y ferch ysgol 1906
olew ar gynfas
81.7 × 66.8 cm
Yr oedd Steer yn un o brif
gynrychiolwyr Agraffiadaeth yn
Lloegr, ac ymhlith ei fyfyrwyr yn
Ysgol Gelf Slade yr oedd Augustus
a Gwen John a J. D. Innes. Hwn
yw'r cyntaf o nifer o beintiadau
o Lilian Montgomery. Nid model
broffesiynol ydoedd, ac yma mae'n
bedair ar ddeg oed ac wedi ei
gwisgo yn ffasiwn Paris ym 1904.
Cymynrodd James Pyke Thomp-
son 1907. NMW A 172

107

9. Cymru: Artistiaid, Pobl a Lleoedd o'r Chwyldro Diwydiannol tan y Dirwasgiad

Tua chanol y ddeunawfed ganrif, rhanbarth ym Mhrydain Fawr gyda phoblogaeth denau a heb ei datblygu oedd Cymru, yn dal yn amaethyddol gan mwyaf a heb unrhyw ddinasoedd o bwys, wedi ei gwahanu oddi wrth Loegr gan ffyrdd gwael a'i hiaith hynafol ei hun. Ond yr oedd ei mynyddoedd geirwon a'i dyffrynnoedd tawel ynghyd â'i chestyll wedi dadfeilio a'i gwerin ddarluniadol yn golygu bod Cymru'n bwnc delfrydol i gelfyddyd a barddoniaeth Ramantaidd. Gan ddilyn ôl traed Richard Wilson, bu i nifer o beintwyr ar ymweliad, o Paul Sandby a J. M. W. Turner i J. S. Cotman a David Cox, anfarwoli Cymru. Mae *Lines written a few miles above Tintern Abbey* gan William Wordsworth ym 1788 yn garreg filltir mewn barddoniaeth Saesneg. Cartref Thomas Johnes yn yr Hafod yng Ngheredigion oedd y mynegiant mwyaf cyflawn o'r esthetig Darluniadol hwn.

Erbyn i lyfr George Borrow *Wild Wales* gael ei gyhoeddi ym 1862, yr oedd y boblogaeth a rhai ardaloedd yn y dirwedd honno yn y wlad wedi eu trawsnewid yn llwyr. Ym Môn, yr oedd cloddio am gopr wedi newid ardal Mynydd Parys i ryw fath o dirlun marw, fel sydd ar y lleuad. Tref haearn Merthyr Tudful oedd y dref fwyaf yng Nghymru yn ystod hanner cyntaf y bedwaredd ganrif ar bymtheg. Yn ystod oes aur y rheilffordd, bu cloddio ac allforio glo ager o safon uchel o'r gwythiennau cyfoethog yn Ne-ddwyrain Cymru yn gyfrifol am ysgogi mudo anferth, gan orfodi trefi Rhondda a dinasoedd yr arfordir fel Abertawe, Caerdydd a Chasnewydd i dyfu bron dros nos. Yr elw o'r gweithgarwch diwydiannol hwn a dalodd am gestyll eithriadol yr Adfywiad Gothig gan 3ydd Ardalydd Bute yng Nghaerdydd a Chastell Coch gerllaw. Yn y gweithdai a sefydlwyd gan bensaer Bute, William Burges, i ddarparu cerfiadau addurnol, dysgodd William Goscombe John ifanc hanfodion cerflunio.

Newidiodd bywyd diwylliannol Cymru yn llwyr yn ystod ail hanner y ddeunawfed ganrif, a gwelwyd diddordeb newydd ac ysgolheigaidd yn iaith, henbethau a cherddoriaeth Cymru. Mynegwyd y balchder hwnnw yng Nghymdeithas y Cymmrodorion, canolbwynt bywyd diwylliannol Cymru yn Llundain ac yng Nghymru rhwng 1751 a 1787. Clerigol ac uchelwrol oedd yr adfywiad i gychwyn, a daeth yn gynyddol radical, anghydffurfiol a chenedlaetholgar ar ôl 1800. Cafodd dau o arlunwyr Cymreig mwyaf arbennig y bedwaredd ganrif ar bymtheg, sef y peintiwr Penry Williams (1800-85) a'r cerflunydd John Gibson (1790-1866), eu hyfforddi am flynyddoedd lawer yn Rhufain, sef prifddinas ryngwladol celfyddyd Glasuro, a buont yn gweithio yno. Yn hytrach na chreu "Ysgol Gymreig" ddatblygol, yr oedd eu hyfforddiant, eu hamgylchedd gweithio a'u tueddiadau i gyd yn eu tynnu i mewn i brif ffrwd yr arddull Eidalaidd a oedd wedi hen ymsefydlu. Yr oedd twf economaidd a demograffig Cymru yn digwydd lawer yn gyflymach na chynnydd ansicr cyrff celfyddydol sylfaenol fel Academi Frenhinol Cambria (sefydlwyd 1881). Ni allai arlunydd a ddymunai ddod ymlaen gael mwy na hyfforddiant sylfaenol mewn unrhyw fan yng Nghymru. O ganlyniad, er i'r cerflunydd ifanc J. Milo Griffith (1843-97) ddangos dawn eithriadol fel prentis ar y gwaith o

108

108. Thomas Gainsborough
(1727-88)
Thomas Pennant
olew ar gynfas
95 × 74 cm
Yr oedd Thomas Pennant (1726-98) yn naturiaethwr, teithiwr a hynafiaethydd o fri. Disgrifiwyd ef gan Dr Johnson fel "y teithiwr gorau a ddarllenais erioed", a gwnaeth lawer i annog pobl i ail-ddarganfod Cymru. Mae'r portread hwn a beintiwyd ym 1776 yn dangos anffurfioldeb hamddenol Gainsborough a'i waith brws ysgafn, llac nodweddiadol.
Prynwyd 1953. NMW A 97

109. Syr Thomas Lawrence
(1769-1830)
Thomas Williams
olew ar gynfas
127.5 × 102.1 cm
Thomas Williams (1737-1802) oedd prif asiant gweithfeydd copr Mynydd Parys ger Amlwch o 1785. Yr oedd yn ddyn amlwg ar ddechrau'r Chwyldro Diwydiannol, ac mae'r portread hwn yn ei ddangos yn anterth ei rym yn ystod y 1790au. Arferai'r llun fod yn ei gartref yn Berkshire.
Prynwyd 1987. NMW A 451

109

110

110. Joseph Mallord William Turner (1775-1851)
Croes Priordy Ewenni, Morgannwg
1797
pensil a dyfrlliw ar bapur
40 × 56 cm
Bu Turner yn teithio drwy Gymru
ym 1792, 1794 a 1795. Ar y daith
olaf aeth drwy Gaerdydd ac
Abertawe i Sir Benfro. Mae'r llun
dyfrlliw hwn yn seiliedig ar
ddyluniad yn un o'r ddau lyfr bras-
lunio a wnaeth ar ei daith. Cafodd
ei arddangos yn yr Academi
Frenhinol ym 1797 ac y mae'r
ffordd y mae'n trin golau yn
dangos dylanwad Rembrandt a
Piranesi.
Cymynnwyd gan James Pyke
Thompson 1898. NMW SA 1734

111. Anthony Vandyke Copley Fielding (1787-1855)
Castell Caernarfon
olew ar gynfas
137.1 × 195.6 cm
Dyma un o'r darluniau olew
mwyaf a wnaeth Fielding erioed.
Mae'n debyg i'r llun gael ei seilio
ar frasluniau a wnaeth ar ymwel-
iad â Gogledd Cymru, a chafodd y
gwaith ei arddangos yn y Sefydliad
Prydeinig ym 1819. Mae Fielding
wedi gosod y castell yn y pellter fel
canolbwynt cyfansoddiad clasuro
sy'n ddyledus iawn i Claude.
Rhoddwyd gan F. J. Nettlefold
1948. NMW A 488

adfer Eglwys Gadeiriol Llandaf, bu'n rhaid iddo barhau ei
astudiaethau yn Ysgol Gelf Lambeth a'r Academi Frenhinol.
Ugain mlynedd yn ddiweddarach, gadawodd William Gos-
combe John Gaerdydd hefyd i gael hyfforddiant yn stiwdio
Thomas Nicholls yn Llundain. Rhwng 1893 a 1907, dilynodd
Christopher Williams, a fu'n astudio peintio yn y Coleg Celf
Brenhinol, ac Augustus a Gwen John a J. D. Innes ac aethant i
gyd yn fyfyrwyr i Ysgol Gelf Slade.

Cafodd y Blaid Ryddfrydol lwyddiannau eithriadol yng
Nghymru yn etholiadau 1868 a 1906, ac erbyn 1900 yr oedd yr
hen drefn o rym perchnogion tir a diwydianwyr, a oedd cyn
hynny wedi dominyddu nawdd i'r celfyddydau a phensaernï-
aeth yng Nghymru, yn newid yn gyflym. Yn ystod dau dde-
gawd cyntaf yr ugeinfed ganrif, yr oedd y ffyniant diwydiannol
yn ei anterth. Yr oedd un Cymro o bob pedwar yn lowr, a
thynnid cymariaethau ffansïol rhwng twf Cymru â'r economïau
a oedd yn ehangu yng Nghaliffornia a Siapan. Anogwyd y
Cymry gan yr amgylchedd fywiog a hunan-hyderus hon i greu
sefydliadau cenedlaethol – prifysgol ffederal ym 1896 ac ym
1907 Lyfrgell Genedlaethol yn Aberystwyth ac Amgueddfa

111

Genedlaethol yng Nghaerdydd. Bedair blynedd yn ddiwedda-
rach, rhoddwyd haen o Brydeindod ar yr hunaniaeth genedlae-
thol hon a oedd yn blodeuo gydag Arwisgiad defodol Tywysog
Cymru – y cyntaf yn y cyfnod modern – yng Nghastell Caernar-
fon. Yn briodol ddigon, cafodd Regalia'r Tywysog a'r offer a
ddefnyddiwyd gan ei dad, y Brenin George V, i osod carreg
sylfaen yr Amgueddfa Genedlaethol eu cynllunio gan Syr Wil-
liam Goscombe John, a urddwyd yn farchog ym 1911 am ei
wasanaeth i gelfyddyd ac i'r Goron.

Tua'r adeg hon, dechreuwyd gweld hunaniaeth benodol
Gymraeg yn ymddangos, neu'n hytrach ddyheadau tuag at
hunaniaeth felly yn y celfyddydau gweledol. Cyhoeddwyd *Welsh
Painters, Sculptors and Engravers (1527-1911)*, gan T. Mardy Rees
ym 1912, ac yn ystod y gaeaf 1913-4 trefnodd Amgueddfa
Genedlaethol newydd Cymru *Exhibition of Works by Certain
Modern Artists of Welsh Birth or Extraction*. Yr oedd y llyfr a'r ard-
dangosfa yn gynhwysol yn hytrach nag yn arbenigol yn eu
diffiniad o arlunwyr Cymreig. Felly, cafodd dynion o dras Gym-
reig megis Brangwyn eu derbyn wrth ymyl colofn y sefydliad,
Goscombe John, ac Augustus John wyllt. Yr oedd problem

sylfaenol yn parhau, sef er bod gan y Cymry syniad arbennig o
hunaniaeth a bod eu hanes, eu tirwedd a chwedlau eu gwlad yn
ddefnydd crai gwych i arlunwyr, yr oedd Cymru erioed wedi
bod yn ddiffygiol o ran diwylliant canolog, metropolitan digon
cryf i annog a chynnal ysgol gelf gydlynol.

Nid oedd hanes Cymru fawr gwahanol i weddill Prydain yn
nhrychineb y Rhyfel Byd Cyntaf. Hwyrach am i wead
cymdeithasol a gwleidyddol y Deyrnas Gyfunol lwyddo i fyw
drwy'r Rhyfel yn weddol gyfan, ni chafwyd mudiad ym Mhryd-
ain yn cyfateb i'r mudiad Dada anarchaidd a siglodd seiliau
diwylliannol yr Almaen a Ffrainc. Mewn sawl ffordd, ychydig a
oedd wedi newid. Câi Frank Brangwyn, Augustus John a Will-
iam Goscombe John nawdd swyddogol fel Arlunwyr Rhyfel
neu gomisiynau i gyflawni cofebau rhyfel, a dychwelodd yr
arlunwyr Cymreig ifanc o Lundain, Allan Gwynne-Jones a
David Jones, o'r Rhyfel i ail-gydio yn eu hastudiaethau yn Ysgol
Gelf Slade a Westminster. Ym 1929, yr oedd y Dirwasgiad yn
doriad mwy penodol â'r gorffennol. Gan fod ei heconomi yn
canolbwyntio mwy ar ddiwydiannau trwm haearn, dur a glo,
dioddefodd Cymru'n waeth na gweddill y Deyrnas Gyfunol yn

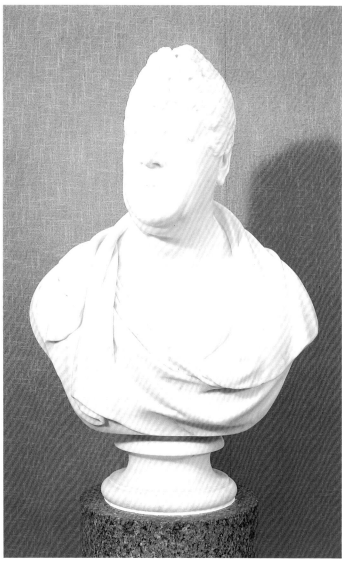

112

113

114

112. Syr Francis Chantrey
(1781-1841)
Thomas Johnes 1811
marmor
u 68 cm

Tua diwedd y 1780au trefnodd
Thomas Johnes (1748-1816) erddi
pleser yn yr Hafod yng Nghere-
digion yn null "Tirwedd Ddarlun-
iadol" ei gefnder Richard Payne
Knight. Byddai ymwelwyr yn
tyrru i weld yr Elysium a grewyd
mewn man a ystyrid gynt yn
anghysbell a garw. Archebwyd y
benddelw hon ym 1811 am gost
o £105.
Prynwyd 1991. NMW A 514

113. Llestr, Derby 1787
porslen past-meddal
marciau ffatri
32 × 25.4 cm

Y llestr hwn oedd canolbwynt set
felysfwyd a wnaed i Thomas
Johnes, ac mae'n dangos ei dŷ
newydd yn yr Hafod a ddechreu-
wyd ym 1786. Ym mis Mehefin
1787 anfonodd luniau dyfrlliw o'r
ystad i Derby a chwblhawyd y set,
37 o ddarnau wedi eu peintio â
golygfeydd o'r Hafod, ym mis
Rhagfyr. Costiodd £63 a hon oedd
y set ddrutaf a wnaed yn Derby ar
ddiwedd y 18fed ganrif.
Prynwyd 1991. NMW A 30,223

115

114. Stondin melysfwyd, Paul Storr, Llundain 1812
arian a gwydr
U 51.2 cm
Paul Storr oedd y prif of arian yn ystod cyfnod y Rhaglawiaeth ac yr oedd yn bartner yn y cwmni Rundell, Bridge a Rundell, y gofaint aur brenhinol. Ar y stondin melysfwyd Clasurol dethol hwn, un o fodelau mwyaf poblogaidd Rundell, mae arfau Benjamin Hall o Gastell Hensol, Morgannwg wedi eu hengrafio, sef mab-yng-nghyfraith y meistr haearn, Richard Crawshay. Yr oedd Hall yn AS o 1806, ac ef oedd y diwydiannwr cyntaf o Dde Cymru i droi at y byd gwleidyddol.
Prynwyd 1957. NMW A 50,351

115. Joseph Mallord William Turner (1775-1851)
Castell y Fflint, Gogledd Cymru
pensil a dyfrlliw ar bapur
27 × 39 cm
Peintiwyd hwn tua 1834 ac mae'r olygfa'n rhan o gyfres a drowyd yn engrafiadau llinell ar gyfer *Picturesque Views in England and Wales*. Hwyrach fod yr awyrgylch lachar yn tarddu o arhosiad Turner yn Fenis ym 1833. Bu'r gwaith ym meddiant John Ruskin, a ddywedodd amdano ym 1878, "Hwn yw'r darn harddaf o waith dyfrlliw pur yn fy nghasgliad i gyd".
Rhoddwyd gan Lywodraeth Ei Mawrhydi 1982. NMW A 1757

ei chyfanrwydd. Wrth i'r freuddwyd Edwardaidd o "Gymru Americanaidd" ddiwydiannol droi'n hunllef, gwelwyd cynnydd sylweddol mewn diweithdra i lefel genedlaethol o 32%. Yn nhrefi dur y de-ddwyrain, yr oedd lawer yn waeth. Ychydig cyn i'r Ail Ryfel Byd ddechrau, yr oedd diweithdra'n dal dros 73% yn Nowlais a 69% ym Merthyr. Yn Neuadd Gregynog, peidiodd Gwendoline a Margaret Davies â chasglu darluniau ond parhaodd y ddwy yn weithgar mewn gwaith cymdeithasol, yn cynnig lletty i gyrff gwirfoddol ac yn dwyn pwysau ar eu cyfeillion dylanwadol ar ran y di-waith. Cefnogai eu brawd, yr Arglwydd Davies, yr ymgyrch yn erbyn y darfodedigaeth ac achos Cynghrair y Gwledydd, ac adeiladodd y Deml Heddwch ac Iechyd yng Nghaerdydd ym 1938. Yr ochr arall i Barc Cathays, cafodd Amgueddfa Genedlaethol Cymru ei hagor yn swyddogol gan y Brenin George V ym 1927, a pharhaodd yn ddim ond corff adeilad anorffenedig am flynyddoedd wedyn. Ym myd y celfyddydau, fel yn y bywyd cymdeithasol a gwleidyddol, yr oedd sicrwydd cyfnod Victoria wedi mynd am byth.

116. William Etty (1787-1849)
Mrs J. F. Vaughan
olew ar gynfas
76.2 × 63.5 cm
Priododd Louisa Elizabeth (bu
farw 1853), merch John Rolls o'r
Hendre, Mynwy, â John Francis
Vaughan o Courtfield, Swydd
Henffordd, aelod o hen deulu
Pabyddol Cymreig. Yr oedd Etty
yn ddyledus iawn i gelfyddyd y
Dadeni yn Fenis, ac yma mae
coethder a lliw cyfoethog Titian yn
cael eu hychwanegu at wisg a
gwallt ffasiynol y 1830au.
Prynwyd 1958. NMW A 438

117. Blwch snwff
aur, enamel a cherrig gwerthfawr
wedi eu gosod ynddo
U 3.7 cm
Rhoddwyd y blwch hwn gan y
Frenhines Victoria i'r arloeswr o
Gymro Henry Stanley (1841-1904)
i gydnabod ei lwyddiant yn dar-
ganfod David Livingstone. Pan
gyfarfu'r ddau, llefarodd Stanley
y geiriau adnabyddus "Dr Living-
stone, I presume" ar lan Llyn
Tanganyika ym 1871.
Prynwyd 1986. NMW A 50,500

118. Penry Williams (1800-85)
Golygfa yn y Campagna yn Rhufain
1865
olew ar gynfas
91 × 182 cm
Byddai ymwelwyr yn y 19edd
ganrif yn dotio ar y gwahaniaethau
rhwng gwychder hynafol yr hen
fyd a gwisgoedd lliwgar a cheirt
ychen traddodiadol y gweithwyr
lleol. Ganed Penry Williams ym
Merthyr Tudful a bu'n astudio yn
Ysgolion yr Academi Frenhinol
gyda chefnogaeth bonheddwyr
lleol. Cafodd gymorth gan Syr
Thomas Lawrence ac ymsefydlodd
yn Rhufain ym 1827, lle bu'n byw
weddill ei fywyd.
Prynwyd 1933. NMW A 506

119. Llestr, John Samuel Hunt, Llundain 1844
arian gilt
AR DRAWS 49.8 cm
Gwnaed y llestr hwn ar gyfer yr
hynafiaethydd a'r casglwr arfau,
Syr Samuel Rush Meyrick
(1783-1848) ac mae'r cynllun wedi
ei addasu o'r tri llestr enamel
Limoges o'r 13edd ganrif yn ei
gasgliad ei hun. Hanai Meyrick o
deulu Cymreig, ac adeiladodd
gastell hardd yn null yr Adfywiad
Gothig yn Goodrich Court ar Afon
Gwy ym 1828-31.
Prynwyd 1992. NMW A 50,714

116

117

118

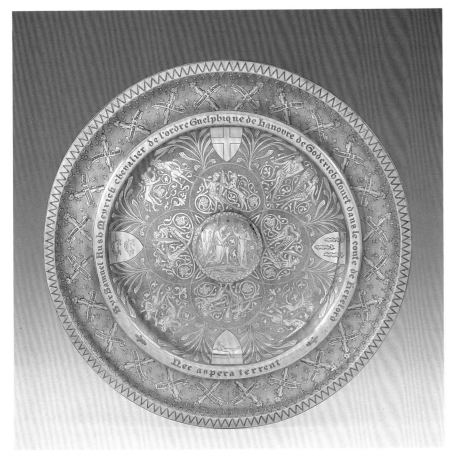

119

120

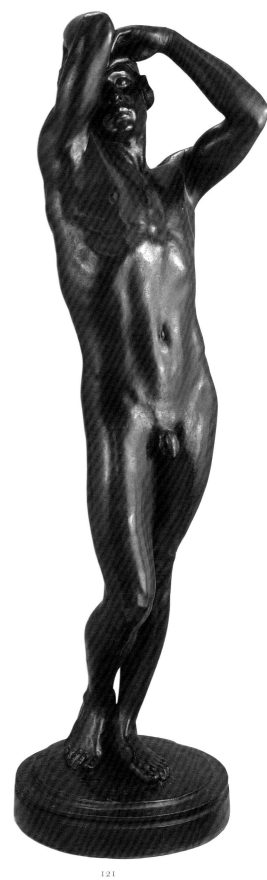

121

122

120. John Gibson (1790-1866)
Aurora
marmor
U 175.3 cm
Ym 1842 comisiynodd Henry
Sandbach o Lerpwl y ffigur hwn
gan y cerflunydd Cymreig, Gibson,
yn anrheg i'w wraig. Disgrifiodd
Gibson y gwaith fel "negesydd y
dydd, Aurora, duwies y Bore...
wedi codi o'r môr a seren olau
Lucifer yn disgleirio ar ei thalcen".
Prynwyd 1993. NMW A 2527

**121. Syr William Goscombe
John** (1860-1952)
Morpheus 1890
efydd
U 168 cm
Cafodd y ffigur hwn ei fodelu ym
Mharis pan oedd y cerflunydd yn
fyfyriwr yno ar ôl ennill Medal Aur
yr Academi Frenhinol ym 1889.
Byddai Goscombe John yn ymweld
yn aml â stiwdio Rodin, ac mae
osgo'r ffigur hwn yn ein hatgoffa
o *Oes efydd* Rodin. Yn yr Academi
Frenhinol ym 1891 cafodd ei ar-
ddangos gyda'r geiriau barddon-
llyd "*Drown'd in drowsy sleep of
nothing he takes keep.*"
Rhoddwyd gan yr arlunydd 1894.
NMW A 2422

**122. Darn canolog, Elkington &
Co, Birmingham** 1893
arian, arian gilt, aur ac enamel
H 156 cm
Rhoddwyd gan bobl Cymru ym
1893 yn anrheg briodas i Ddug a
Duges York (George V a'r Fren-
hines Mary wedyn), ac mae'r darn
canol anferth hwn yn ymgorffori
golygfeydd o hanes Cymru, o
gestyll Cymru a medalau i feirdd a
dynion dysgedig Cymru. Gweithiai
dylunydd Elkington, Auguste
Willms, yn ôl awgrymiadau
E. Vincent Evans, Ysgrifennydd
Cymdeithas yr Eisteddfod Gened-
laethol, i greu dathliad o hanes
Cymru ar hyd yr oesau.
Ar fenthyg oddi wrth Ei Mawrhydi
Y Frenhines. NME A (L) 512

123

123. Lionel Walden (1861-1933)
Gaith Dur Dowlais, Caerdydd, yn y nos
olew ar gynfas
145 × 201 cm
Ganed Walden yn Connecticut a
bu'n astudio ym Mharis, lle enill-
odd fedal yn Salon 1903. Bu'n
arddangos gyda Chymdeithas Cel-
fyddyd Gain Caerdydd ym 1893 ac
yr oedd yn byw ger Falmouth ym

1897. Mae'r darlun hwn o 1893-7
wedi ei seilio ar fraslun bach olew
sydd hefyd yn y casgliad. Cafodd ei
waith llai *Dociau Caerdydd* ei brynu
oddi wrth y Salon des Artistes
Français ym 1896 ac erbyn hyn
mae yn y Musée d'Orsay ym
Mharis.
Rhoddwyd gan yr arlunydd 1917.
NMW A 2245

124. Syr Frank Brangwyn
(1867-1956)
Tanc ar waith, 1925-6
tempera ar gynfas
366 × 376 cm
Cymry oedd rhieni Brangwyn a
châi ei waith ei werthfawrogi'n
fawr yng Nghymru. Mae'r darlun
hwn yn un o nifer o olygfeydd
rhyfel o'r cynllun cyntaf a gafodd
ei wrthod ar gyfer yr Oriel Frenhi-
nol ym Mhalas Westminster.
Comisiynwyd yr addurniadau hyn
gan yr Arglwydd Iveagh fel cofeb
i'w Gyfoedion a'u perthnasau a
laddwyd yn y Rhyfel Byd Cyntaf.
Ym 1927-33, peintiodd yr arlun-
ydd ail gynllun yn dangos yr Yme-
rodraeth Brydeinig. Cafodd
hwnnw hefyd ei wrthod a'i osod
wedyn yn Neuadd Brangwyn yn
Neuadd y Ddinas, Abertawe.
Rhoddwyd gan yr arlunydd 1931.
NMW A 2530

124

10. Gwen John ac Augustus John

Yr oedd Gwen ac Augustus John mor wahanol o ran personoliaeth, dull o fyw, gweledigaeth artistig a thechneg ag y gall brawd a chwaer fod. Ganed Gwen yn Hwlffordd ym 1876, yn ail blentyn i gyfreithiwr, Edwin John, a'i wraig, Augusta. Ganed eu trydydd plentyn Augustus, ddeunaw mis yn ddiweddarach mewn gwesty yn Ninbych-y-Pysgod, lle'r oedd y teulu wedi symud i osgoi pla'r dwymyn goch. Cofrestrodd Augustus yn Ysgol Gelf Slade yn Llundain yn ystod yr hydref 1894, ac ymunodd Gwen ag ef flwyddyn yn ddiweddarach. Sefydlwyd Slade ym 1871, ac mae'n debyg mai hon oedd yr ysgol gelf fwyaf blaengar yn Llundain. Rhedid hi gan Frederick Brown a Henry Tonks, a rhoddai hyfforddiant manwl mewn darlunio ac annog astudio'r hen feistri. Dysgai Philip Wilson Steer beintio yno, gan feithrin cysylltiadau â'r Clwb Celfyddyd Seisnig Newydd, sef cymdeithas arddangos flaengar a oedd yn wrthwynebus i'r Academi Frenhinol. Enillodd Augustus nifer o wobrau yn Slade, gan gynnwys cystadleuaeth haf 1898. Yr un flwyddyn, enillodd Gwen wobr am gyfansoddiad ffigurau. Ar ôl graddio, aeth y ddau i deithio: Augustus i Amsterdam i weld yr Arddangosfa Rembrandt a Gwen i Baris lle'r ymunodd â chyfeillion a oedd yn astudio yn ysgol gelf Whistler. Pan soniodd Augustus wrth y dyn mawr ei fod yn credu bod gwaith Gwen "yn dangos teimlad am gymeriad", soniodd Whistler yn graff yn ei ateb am wahanol arddulliau'r brawd a'r chwaer: "Cymeriad? Beth yw hwnnw? Tôn sy'n cyfrif. Mae gan eich chwaer synnwyr tôn gwych".

Ym 1899, arddangosodd Augustus waith am y tro cyntaf yn y Clwb Celfyddyd Seisnig Newydd a threfnodd ei sioe un-dyn gyntaf. Yr oedd eisoes yn denu cryn sylw gan y beirniaid, oherwydd ei fedr amlwg fel drafftsmon a'i ffordd o fyw eithriadol fohemaidd. Ym 1901, priododd fyfyrwraig arall o'r Slade, Ida Nettleship, a derbyniodd swydd ddysgu ym Mhrifysgol Lerpwl, lle dechreuodd yr hyn a ddaeth yn ddiddoreb oes iddo yn y sipsiwn. Ddwy flynedd yn ddiweddarach, cyfarfu Augustus â ffrind Gwen, Dorelia McNeill, a bu'n byw gyda hi mewn *ménage à trois* yn Chelsea, Paris ac mewn carafán sipsiwn nes i Ida farw ym 1907. Yn ystod y flwyddyn honno, gwnaeth Picasso argraff arno a denodd y cyntaf o gylchoedd cynyddol o noddwyr cefnog pan gomisiynwyd ef gan y Fonesig Gregory i beintio W. B. Yates. Daeth Augustus yn fwyfwy cyfeillgar â chyd-Gymro a myfyriwr arall o'r Slade, James Dickson Innes, a bu'r ddau yn teithio gyda'i gilydd yng Nghymru a Ffrainc gan beintio tirluniau bach, lliwgar yn debyg i'r gelfyddyd gyfoes Fauve. Yn ystod y degawd cyn dechrau'r Rhyfel Byd Cyntaf, yr oedd Augustus wedi dyfeisio ffurf bersonol a rhamantaidd o Gyntefigedd, o ran trafod a thestun, a oedd yn amlwg yn cyd-fynd â mudiadau blaengar eraill ym Mhrydain a gwledydd tramor. Ymddangosai fel pe bai'r teyrngarwch hwnnw wedi ei gadarnhau ym 1911 pan arddangosodd Augustus am gyfnod byr gyda Harold Gilman, Charles Ginner a Spencer Gore yn Grŵp Camden Town. Daeth y gwahaniad ym 1912 pan wrthododd gael ei gynnwys yn y "Second Post-Impressionist Exhibition" gan Roger Fry yn Llundain. Er i Augustus ysgrifennu'n bigog

125

125. Augustus John (1878-1961)
Edwin John
olew ar banel
45.8 × 32.7 cm
Ganed Edwin (1905-78), pedwerydd plentyn Augustus ac Ida John, ym Mharis. Ar ôl gyrfa fer fel bocsiwr pwysau canol, dechreuodd beintio lluniau dyfrlliw. Etifeddodd ystad ei fodryb Gwen a gwnaeth lawer i sicrhau ei henw da ar ôl ei marw. Cafodd y braslun olew lliwgar hwn ei beintio yn Alderney Manor pan oedd tua chwe oed. Rhoddwyd gan Margaret Davies 1940. NMW A 161

126. Augustus John (1878-1961)
Dorelia McNeill yn yr ardd yn Alderney Manor 1911
olew ar gynfas
201 × 101.6 cm
Bu'r arlunydd a Dorelia yn byw yn Alderney Manor yn Swydd Dorset o fis Awst 1911 tan fis Mawrth 1927. Daeth y tŷ a'r ardd yn arbennig yn fynegiant huawdl o'i phersonoliaeth hi. Mae darnau llyfn y gwaith hwn o liw, ymylon llym, diffyg modelu confensiynol a chefndir gwastad yn dangos bod John yn gyfarwydd â'r arlunwyr Fauve.
Prynwyd 1962. NMW A 163

126

127

127. Augustus John (1878-1961)
Dylan Thomas
olew ar gynfas
41.4 × 35 cm
Cyfarfu'r arlunydd â Dylan
Thomas (1914-53) ym 1935, cy-
flwynodd ef i Caitlin Macnamara,
a phriodwyd ef a Caitlin ym 1937.
Mae'n debyg fod y portread hwn
wedi ei wneud tua diwedd 1937
neu ddechrau 1938 pan oedd

Thomas a'i wraig yn byw gerllaw
cartref John yn Fryern Court yn
Hampshire. Mae'r arlunydd yn
cofio, "Llwyddais i'w gael i eistedd
i mi ddwywaith, a'r ail bortread
oedd y mwyaf llwyddiannus. Cyn
belled â'i fod yn cael potel o gwrw,
byddai'n eistedd yn amyneddgar
iawn."
Rhoddwyd gan y Gymdeithas Cel-
fyddyd Gyfoes 1942. NMW A 159

"heb erioed arddangos yn yr A.F." ar ei ffurflen gyflwyno ar
gyfer *Exhibition of Works by Certain Modern Artists of Welsh Birth or
Extraction* yn Amgueddfa Genedlaethol Cymru ym 1913, erbyn
hynny yr oedd wedi peidio â bod yn ffigur blaenllaw yn yr
avant garde Prydeinig.

O 1899 bu Gwen yn byw yn Llundain gan arddangos yn y
Clwb Celfyddyd Seisnig Newydd. Ym 1903, cyfrannodd at
arddangosfa o beintiadau ei brawd, gan ysgogi Augustus i
ddweud "Gwen sydd â'r anrhydedd, neu hi *ddylai* ei gael –
oherwydd yn anffodus nid yw ein beirniaid holl-wybodol fel pe
baent wedi sylwi ar bresenoldeb dau flodyn prin o'r goeden
fwyaf cain yn yr Oriel… mor anaml y bydd Gwen yn ymroi i
beintio". Yn ddiweddarach y flwyddyn honno, aeth Gwen gyda
Dorelia McNeill ar daith gerdded yn Ffrainc, ac erbyn 1904 yr
oedd wedi ymsefydlu ym Mharis. Ym 1906 cyfarfu â Rodin,
bu'n fodel iddo ac wedyn yn feistres iddo. Ym 1913, ymunodd
â'r eglwys Babyddol ac arddangoswyd un o'i pheintiadau yn
Sioe Armory Efrog Newydd gan y casglwr Americanaidd John
Quinn, a ddaeth yn noddwr mwyaf teyrngar a dylanwadol iddi.
Arhosodd Gwen ym Mharis yn ystod y Rhyfel Byd Cyntaf, a
threuliai ei hafau yn Llydaw. Ar ôl marw Rodin ym 1917,
dechreuodd gadw iddi ei hun, gan fyw'n syml ym Meudon, un o
faestrefi Paris. Cynhaliwyd yr unig sioe un-ferch yn ystod ei hoes
yn Orielau New Chenil, Llundain ym 1926. Yr oedd amryw-
iaeth ddarluniadol Gwen John yn benodol yn hytrach nag yn

128. Gwen John (1876-1939)
Mère Poussepin yn eistedd wrth y bwrdd
olew ar gynfas
88.3 × 65.4 cm
Ym 1913, y flwyddyn pan ymun-
odd Gwen John â'r Eglwys Baby-
ddol, cafodd ei chomisiynu gan
Adran Meudon o Chwiorydd Elu-
sengar y Forwyn Fendigaid o Tours
i beintio portread o'u sefydlydd,
Mère Marie Poussepin
(1653-1744). Yr oedd hwn yn sei-
liedig ar gerdyn gweddi o 1911
wedi ei gymryd o ddarlun olew o'r
18fed ganrif. Rhwng 1913 a 1920
bu Gwen John yn gweithio ar o
leiaf chwe fersiwn o'r portread, a
gosodwyd yr enghraifft orau yn
y cwfaint.
Prynwyd 1968. NMW A 149

129. Gwen John (1876-1939)
Amlinell o ferch
olew ar gynfas
45.7 × 31.7 cm
Cafodd hwn ei beintio'n gyflym ar
gefndir sialc sy'n rhoi wyneb gwyn.
Daw'r portread o tua 1918 ac y
mae'n fwy rhydd na'r rhan fwyaf o
weithiau'r arlunydd. Peintiwyd yr
eisteddwr yn wreiddiol yn gwisgo
rhuban glasgoch, ond crafwyd
hwnnw allan, hwyrach er mwyn
canolbwyntio'r sylw ar ei hamlinell
arbennig.
Rhoddwyd gan Gymdeithas
Celfyddyd Gain Cymru 1947.
NMW A 148

128

129

130. James Dickson Innes
(1887-1914)
Arennig
olew ar banel
23 × 33 cm
Ym 1910 daeth Innes i wybod am
Fynydd Arennig ger y Bala. Yr
oedd ganddo gymaint o ddiddor-
deb yn y mynydd hwn, a fyddai'n
cael ei beintio ganddo'n aml, nes
i Augustus John wedyn ddweud
"Mynydd Arennig oedd ei fynydd
sanctaidd byth wedyn." Mae'r
cynllun syml a'r lliwiau gwastad,
llachar yn awgrymu dylanwad
printiau Siapaneaidd, fel toriadau
lliw pren Hokusai o Fynydd Fuji.
Rhoddwyd gan y Gymdeithas Cel-
fyddyd Gyfoes o gymynrodd gan
Syr Edward Marsh 1954.
NMW A 202

130

gul, yn ymwneud yn bennaf â ffigurau menywaidd sengl neu
fywyd llonydd, yn cael ei ynysu gan olau gwan yr ystafell na
fyddai'n aml yn mynd allan ohoni. Wrth ymdrechu'n galed i
ddal effeithiau golau a thôn, byddai'n aml yn ail-adrodd yr un
motiff, mewn ffordd sy'n ein hatgoffa o "argraffiadaeth wyddo-
nol" peintiadau cyfres olaf Monet. Mewn llythyr ym 1912,
mynegodd y gwrthrychedd hwn sydd bron yn biwritanaidd: "A
oes gennyf unrhyw beth werth ei fynegi, mae hynny ar wahân
i'r cwestiwn. Mae'n bosibl na fydd gennyf fyth unrhyw beth i'w
fynegi, ar wahân i'r dymuniad hwn am fywyd mwy mewnol".
Saith mlynedd ar ôl ei farwolaeth yn Dieppe ym 1939, rhoes
Augustus arfarniad proffwydol o lwyddiant ei chwaer pan ddy-
wedodd: "hanner can mlynedd ar ôl imi farw, bydd pobl yn
cofio amdanaf fel brawd Gwen John".

Gwrthodwyd Augustus fel person anaddas i wasanaethu yn
ystod y Rhyfel Byd Cyntaf, ac aeth i'r Ffin Orllewinol fel arlun-
ydd rhyfel swyddogol i Fyddin Canada ym 1917. Ni orffennodd
Gofeb Ryfel Canada a gomisiynodd Llywodraeth Canada oddi
wrtho, ond ceisiodd Gwendoline a Margaret Davies yn aflwyd-
diannus i ddwyn pwysau ar Amgueddfa Genedlaethol Cymru i
brynu'r cartŵn pwysig ym 1919. Y flwyddyn honno, cadarnha-
wyd safle Augustus fel portreadydd rhyngwladol o fri i bobl
gefnog pan fu'n bresennol yng Nghynhadledd Heddwch Paris.
Er i'r gwaith ar ei bortread maint llawn o'r unawdydd
soddgrwth enwog, Madame Suggia, lusgo ymlaen am dair

blynedd, cafodd dderbyniad brwd gan y cyhoedd ym 1923, a
chanmolwyd yr Arglwydd Duveen am ei brynu oddi wrth ei
berchennog Americanaidd i'w gyflwyno i Oriel Tate. Mae'n
debyg mai *Madame Suggia* oedd gwaith mawr olaf Augustus.
Etholwyd ef i'r Academi Frenhinol ym 1921 a dyfarnwyd iddo'r
Urdd Haeddiant ym 1942. Yr oedd wedi dod yn un o bileri'r
sefydliad celf. Yn ystod yr Ail Ryfel Byd, byddai'n codi tua
£100 am bortread sialc du a gymerai ddwy awr i'w lunio, ond
ym 1943, soniodd Cyfarwyddwr Amgueddfa Genedlaethol
Cymru "nad yw gwaith John heddiw cystal â'r hyn a wnâi yn ei
anterth". Yn dilyn marwolaeth Augustus ym 1961, cafodd ei
ysgutorion wared â thros dri chant o beintiadau a darluniau yn
ystafelloedd Christie's, ac ym 1972 prynwyd yr hyn a oedd ar ôl
o'i gasgliad stiwdio gan Amgueddfa Genedlaethol Cymru. Ym
1976, ychwanegwyd at hynny yng Nghaerdydd gan weddill
ystad Gwen. Yn union fel yr oedd Augustus unwaith wedi ei
hanner addoli yn gymaint am ei bersonoliaeth ag am ei allu,
felly hefyd y cafodd ei danbrisio'n ddifrifol yn ddiweddarach.
Am fwy na degawd, mae ail-asesiad o'i le yn y dyfodol wedi bod
ar y gweill. Yn ystod yr ugain mlynedd diwethaf, mae enwog-
rwydd Gwen wedi cynyddu. Gafodd ei gwthio i'r ymylon yn
ystod ei bywyd oherwydd ei swildod difrifol, ond erbyn hyn caiff
ei chydnabod yn beintwraig o fri, o bosibl yn Argraffiadydd
gorau Prydain.

11. O Ôl-Argraffiadaeth i Swrealaeth

Dyfeisiwyd y term "Ôl-Argraffiadaeth" gan Roger Fry ym 1910 fel "label hytrach yn negyddol" i gwmpasu gwaith Gauguin, Van Gogh a Cézanne. Ddwy flynedd cyn hynny, yr oedd y beirniad celf o'r Almaen, Julius Meier-Graefe, wedi disgrifio'r un arlunwyr fel "Mynegianwyr". Yn Ffrainc, yr oedd grŵp o beintwyr iau, gan gynnwys Matisse a Derain, yn ddwfn dan ddylanwad van Gogh, wedi eu galw'n "Fauves" ('Bwystfilod Gwyllt') mor gynnar â 1905. Mae Fauve-yddiaeth yn Ffrainc a Mynegiannaeth yn yr Almaen, yn ogystal ag Ôl-Argraffiadaeth mewn amrywiaeth helaeth o ffurfiau ar hyd a lled Ewrop, yn cynrychioli llu o ymatebion i Argraffiadaeth, gan gynnwys argyfyngau o fewn y mudiad yn ogystal ag adweithiau o'r tu allan. Cyn diwedd y bedwaredd ganrif ar bymtheg, yr oedd nod dwbl yr Argraffiadwyr o ddynwared natur a dal ysbryd bywyd trefol bob dydd wedi dod â hwy yn nes at y sefydliad celf. Yr oedd rhai argraffiadwyr hŷn, yn arbennig Monet, a'u holynwyr megis Cézanne, yn ceisio, y tu hwnt i atgynhyrchu effeithiau atmosfferaidd diflanedig, yr hyn a alwodd Cézanne yn "rhywbeth solet a pharhaol fel celfyddyd yr amgueddfeydd". Mae tirluniau lliwgar yr arlunwyr Cymreig J. D. Innes ac Augustus John ym 1911-4 yn dangos pwrpas sy'n gyffredin â'u cyfoeswyr Fauve.

Yng Nghymru, cyrhaeddodd Argraffiadaeth ac Ôl-Argraffiadaeth yr un pryd ar ffurf tair golygfa o Fenis gan Monet ym 1908 o gasgliad Gwendoline a Margaret Davies, a gynhwyswyd yn *Loan Exhibition of Paintings* a gynhaliwyd o dan adain Amgueddfa Genedlaethol Cymru yn Neuadd Dinas Caerdydd yn gynnar ym 1913. Yn ei gofnod yn y catalog ar y gweithiau hyn, teimlai Syr Frederick Wedmore ei fod yn rheidrwydd arno ail-adrodd amcanion "gwyddonol gywir" Argraffiadaeth cyn cyfaddef mai "yr emosiwn a gynhyrchir gan liw yw prif nod yr arlunydd, yn hytrach na'r effeithiau haws a mwy rhyddieithol a gynhyrchir gan ddylunio gwyddonol". Yr oedd disgybl cosmopolitaidd Degas, W. R. Sickert, yn brif ffynhonnell ysbrydoliaeth i beintwyr Prydeinig ifanc ac uchelgeisiol o ddechrau'r ganrif. Gweithiai Edward Morland Lewis o Gaerfyrddin fel ffotograffydd cyn dod yn gynorthwywr i Sickert ym 1926-9. Rhoes Morland Lewis drefn ar ddull ei athro o baratoi cyfansoddiadau o ffotograffau a'i gymhwyso at olygfeydd yng Nghymru.

Yn ystod diwedd y bedwaredd ganrif ar bymtheg a dechrau'r ugeinfed ganrif, daeth celfyddyd yr Eidal a'r gogledd o'r Canol Oesoedd a Dechrau'r Dadeni yn fwyfwy ffasiynol. Digwyddodd yr arddangosfeydd *Les Primitifs Flamands* yn Bruges ym 1902 a *Les Primitifs Français* ym Mharis ym 1904 yr un pryd ag y prynodd Wilhelm von Bode beintiadau cynnar o'r Almaen a'r Iseldiroedd ar gyfer Amgueddfa Kaiser Friedrich ym Merlin, a'r un pryd ag y prynwyd celfyddyd Eidalaidd Quattrocento ar gyfer casgliadau Americanaidd gan Roger Fry ifanc. Byddai Gauguin a'i ddilynwyr yn y Grŵp Pont-Aven yn pleidio math

gwahanol o Gyntefigedd. Chwilient hwy am ysbrydoliaeth yn niwylliant gwerin traddodiadol Llydaw yn ystod diwedd y 1880au a'r 1890au. Wedyn, rhoes Gauguin y gorau yn llwyr i Ewrop a mynd i Dahiti a'r Ynysoedd Marquesas, lle darganfu weledigaeth newydd ac amrywiaeth o bynciau yng nghelfyddyd a diwylliant y Môr Tawel. Cafodd *Merched Avignon* enwog Picasso ym 1906-7 ei ysbrydoli yn yr un modd gan gerfluniaeth hynafol Catalan a cherfiadau Affricanaidd duon a welwyd yn amgueddfeydd Paris. Mae'n fan canolog yn niddordeb cynyddol yr avant garde Ewropeaidd yn y Cyntefig. Ychydig cyn dechrau'r Rhyfel Byd Cyntaf, mae cyfansoddiadau cyfriniol Derain a Giorgio de Chirico yn profi dylanwad parhaol celfyddyd Eidalaidd y cyfnodau Trecento a Quattrocento.

Er bod astudio diwylliant gwerin Cymru yn tyfu'n gyflym yn ystod y bedwaredd ganrif ar bymtheg, gan ysgogi golygfeydd *genre* megis *Salem* enwog S. Curnew Vosper ym 1908, ychydig arwyddion sydd o Gyntefigedd gynhenid mewn celfyddyd Gymreig. Tarddiad Ffrengig oedd i natur fohemaidd Augustus John, ac mae ei chwaeth gynnar am y Cyntefig yn dangos dylanwad peintiadau Puvis de Chavannes. Cafodd prif ffrwd Cyntefigedd gyfandirol, a ddeilliai o gerfluniaeth Affricanaidd a dwyreiniol hynafol, ei chyflwyno o Ffrainc i Brydain tua 1910 gan Jacob Epstein a Henri Gaudier-Brzeska. Mae cerfiadau carreg Eric Gill yn debyg o ran cymeriad, ond wedi eu hysbrydoli gan gelfyddyd Romanesg. Cawsant eu harddangos gyntaf yn Oriel Chenil ym 1911 mewn sioe ar y cyd gyda pheintiadau a dyfrlliwiau gan J. D. Innes. Yr oedd ffydd Gatholig Gill a'i ddiddordeb dwfn yn y Canol Oesoedd yn annog Cyntefigedd bersonol iawn a dwys a gwmpasai gelfyddyd, delfrydau a ffordd o fyw. Ym 1924, symudodd o Sussex i hen fynachdy yng Nghapel-y-ffin ger y Fenni, lle bu'n gweithio am bedair blynedd mewn awyrgylch wledig eithriadol, heb unrhyw gyfleusterau modern o gwbl. Daeth David Jones i ymuno â Gill yno, yr awdur a'r arlunydd o Gymro a oedd yn chwilio am ei Utopia ym maes diwinyddiaeth Gatholig a hen hanes y Celtiaid. Dylanwadodd ei brofiadau yn y Rhyfel Byd Cyntaf ar Jones drwy'i oes. Ni fu Cedric Morris, a oedd yn wreiddiol o'r Sgeti ger Abertawe, yn gwasanaethu yn y llinell flaen. Ond mae'n bosibl fod ei wrthodiad o bethau soffistigedig o blaid peintiadau bwriadol naïf o anifeiliaid, blodau a thirwedd, gan ddefnyddio lliwiau llachar, gwastad sy'n ein hatgoffa o Fernand Léger, yn adlewyrchu'r syniad o golled a oedd yn gyffredin ymhlith pobl a fu byw drwy'r Rhyfel.

Ym 1908, trefnodd Picasso wledd i anrhydeddu Henri "Douanier" Rousseau, yr oedd ei beintiadau Naïf lliwgar i gael eu hanrhydeddu gan y Swrealwyr fel rhagflaenwyr eu cyfansoddiadau barddonol eu hunain. Yr oedd y mudiadau Dada a Swreal yn llai artistig nag o system o gredoau a syniadau, wedi eu cyflyru gan seico-ddadansoddi, a dyfodd o'r bwlch a grewyd gan y Rhyfel Byd Cyntaf yng ngwead diwylliannol

131. Erich Heckel (1883-1970)
Llyn (ger Moritzburg) 1909
olew ar gynfas
61 × 71.1 cm

Ganed Heckel yn Döbeln yn Sac-
soni a chafodd ei hyfforddi fel pen-
saer yn Dresden. Ym 1905
sefydlodd *Die Brücke* (Y Bont), y
grŵp Mynegiannol cyntaf, ar y cyd
ag eraill. Y flwyddyn wedyn troes
at beintio'n llwyr. Daw'r olygfa
hon o dŷ ar ymyl llyn o haf 1909
pan oedd Heckel yn pcintio gyda'i
gyfaill Ernst Ludwig Kirchner yn
ardal y llynnoedd o gwmpas y llety
hela brenhinol ym Moritzburg i'r
gogledd o Dresden. Mae'r lliwiau
llachar yn nodweddiadol o Fyne-
giannaeth yr Almaen.
Prynwyd 1973. NMW A 2053

132. Henri Gaudier-Brzeska
(1891-1915)
Dau ddyn gyda phowlen 1914
efydd
U 31 cm

Mae hwn yn un o bedwar gwaith
efydd a gafodd eu castio, mae'n
debyg, yn y 1920au a'r 1930au
o batrwm plastr ar gyfer addurn
gardd, a fodelwyd cyn y Rhyfel
Byd Cyntaf. Mae'r plastr gwreidd-
iol erbyn hyn yn y Musée des
Beaux-Arts yn Orléans. Mae'n
bosibl iddo gael ei fwriadu ar gyfer
astudiaeth fechan o lestr i adar gael
ymdrochi. Mae'n debyg iawn i
gerfiadau pren Affricanaidd, a
disgrifiodd Gaudier-Brzeska y
gwaith fel "astudiaeth o'r cyntefig
er mwyn i mi allu cerfio carreg yn
fwy pwrpasol."
Prynwyd 1992. NMW A 1625

133. Eric Gill (1882-1940)
Mam a'i phlentyn 1910
carreg Portland
U 62.3 cm

Mae arddull y cerflun hwn yn
dangos astudiaeth Gill o gelfyddyd
Romanesg. Hwyrach i'r testun gael
ei awgrymu gan eni ei ferch
Joanna ym mis Chwefror 1910.
Pan gafodd hwn ei gynnwys yn
arddangosfa gyntaf yr arlunydd
ym 1911, dywedodd Roger Fry
amdano: "a oes unrhyw un wedi
edrych yn fwy uniongyrchol ar y
peth gwirioneddol a gweld ei ani-
feiledd truenus nag a wnaeth Gill?
Mae gweld ystyr gwasgu'r fron â'r
llaw chwith yn unig, fel y gwelodd
ef, fel darn o ddychmygu dwfn."
Prynwyd 1983. NMW A 312

131

132

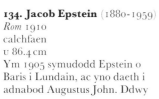

133

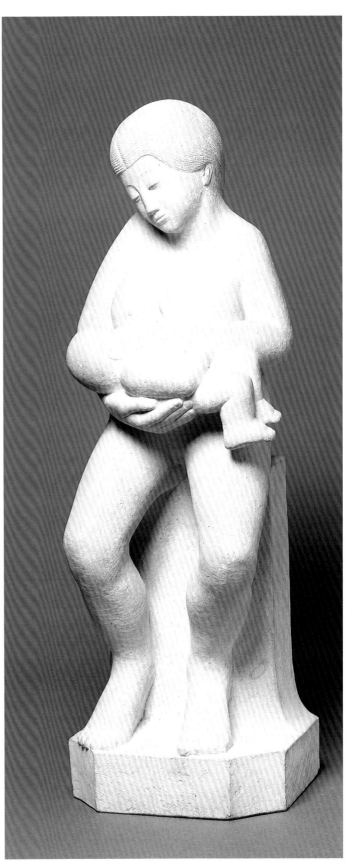

134

134. Jacob Epstein (1880-1959)
Rom 1910
calchfaen
u 86.4 cm
Ym 1905 symudodd Epstein o
Baris i Lundain, ac yno daeth i
adnabod Augustus John. Ddwy

flynedd yn ddiweddarach, gwnaeth
ben efydd o Romilly John (g.1904),
mab yr arlunydd. Mae'r cerflun
grymus hwn o'r un pwnc yn
dangos dylanwad cerflunio Cynte-
fig ac Eric Gill, a gerfiodd yr arys-
grif ROM ar ei waelod. Ym 1911

disgrifiodd Epstein Rom fel "y
Plentyn Bythol, un o'r ffigurau
ymyl mewn grŵp yn awgrymu
Dyn a Menyw, o gwmpas creirfa
ganolog... fel teml fawr."
Prynwyd 1979. NMW A 2532

109

135. Walter Richard Sickert
(1860-1942)
Palazzo Eleonara Duse
olew ar gynfas
55.2 × 46 cm
Yr oedd Sickert yn ddisgybl i
Degas ac yn gyfaill iddo. Ymwelai
â Fenis yn rheolaidd rhwng 1895 a
1904. Mae'r olygfa hon o tua 1901
yn dangos y Palazzo Barbaro-
Wolkoff a'r Palazzio Dario ar y
Gamlas Fawr. Yr oedd yr actores
enwog Eleonara Duse (1858-1924)
yn byw ar lawr uchaf y Palazzo
Barbaro-Wolkoff.
Cymynnwyd gan Margaret Davies
1963. NMW A 193

135

cymdeithas yn Ewrop. Er mai ym Mharis yr oedd yn bennaf, lle ymddangosodd y rhifyn cyntaf o *La Révolution Surréaliste* ym 1924, mudiad rhyngwladol oedd Swrealaeth. Y ddau beintiwr mawr a oedd yn fwyaf cysylltiedig â'i amcanion a'i ddelfrydau oedd René Magritte o Wlad Belg a Max Ernst o'r Almaen. Hwyrach oherwydd i fywyd cymdeithasol a gwleidyddol Prydain fyw drwy'r Rhyfel yn gymharol gyfan, ni chafodd Swrealaeth ei lansio'n ffurfiol yn Llundain tan yr Arddangosfa Swrealaidd Ryngwladol ym 1936. Wrth i André Breton agor yr arddangosfa, rhannai'r bardd ifanc Dylan Thomas gwpanau o gortyn wedi ei ferwi i'r ymwelwyr. Un o'r tri ar hugain o gyfranwyr Prydeinig oedd Merlyn Evans a aned yng Nghaerdydd.

Yn yr un flwyddyn, arddangosodd Ceri Richards gyda'r grŵp Swrealaidd yn Oriel Llundain. Yr oedd yn berchen ar beintiad gan Max Ernst, a daeth Richards yn ddwfn dan ddylanwad Swrealaeth y Cyfandir, er ei fod yn hoff o arddel ei annibyniaeth o'r grŵp Swrealaidd Prydeinig. Ym 1937, ymwelodd Hans Arp, cyd-sylfaenydd y grŵp Dada, â stiwdio'r arlunydd o Gymro yn Llundain a mynegodd edmygedd dwfn o'i gerfweddau. Dair blynedd yn ddiweddarach, penodwyd Richards yn Bennaeth Peintio yn Ysgol Gelf Caerdydd, ac arhosodd yno tan 1944. Yr oedd ei arhosiad yno fel athro i bob pwrpas yn nodi dechrau Moderniaeth yng Nghymru.

136. Syr Cedric Morris
(1889-1982)
Hunan-bortread 1919
olew ar fwrdd
38 × 28 cm
Ganed Morris yn Sgeti ger
Abertawe i deulu o ddiwydianwyr
amlwg. Ym 1914 dechreuodd
astudio ym Mharis, ond tarfodd y
Rhyfel Byd Cyntaf ar hynny.
Gwnaed yr hunan-bortread hwn,
sy'n un o ddarluniau cynharaf yr
arlunydd, ar ôl iddo symud i
Newlyn yng Nghernyw ym 1919.
Nid oes sicrwydd a yw'r tirlun yn
y cornel uchaf ar y dde yn
cynrychioli golygfa drwy ffenestr
neu'n ddarlun sy'n hongian ar y
mur.
Prynwyd 1985. NMW A 2156

137. André Derain (1880-1954)
Yr eglwys yn Vers 1912
olew ar gynfas
66 × 94 cm
Ym 1905-6 yr oedd Derain yn un
o'r arlunwyr Fauve mwyaf blaen-
llaw. O dan ddylanwad Cézanne,
mabwysiadodd arddull fwy cymed-
rol wedyn. Cafodd y tirlun hwn
gydag eglwys Romanesg a milwyr
ar fryn ei beintio yn Vers ger
Cahors yn ardal fynyddig Lot yn
Ne Ffrainc. Mae'r dull ffres sy'n
hollol ymwybodol naif yn deyrn-
ged i beintio Eidalaidd Quattro-
cento.
Prynwyd 1974. NMW A 2161

138

138. Oskar Kokoschka

(1886-1980)
Llundain, Pont Waterloo 1926
olew ar gynfas
88.9 × 129.5 cm
Cynhyrchodd Kokoschka nifer o
dirluniau eang drwy "lygad
aderyn". O wythfed llawr Gwesty'r
Savoy, rhwng 10 Mawrth a 28
Ebrill 1928 peintiodd olygfa i fyny
ar hyd Afon Tafwys ac mae'r
gwaith hwn yn dangos yr olygfa i
lawr ar hyd yr afon. Yn y tu blaen
mae'r badau tynnu'n mynd o dan
Bont Waterloo, ac ar y chwith
mae'r Embankment yn mynd
heibio i Somerset House at y
Ddinas ac Eglwys Sant Paul.
Ganed Kokoschka yn Awstria a
bu'n gweithio'n bennaf yn Fienna,
Berlin, Dresden a Prague tan 1938,
pan ddihangodd i Brydain.
Prynwyd 1982. NMW A 2162

140

139. Llestr blodau, Maurice Marinot 1929

gwydr wedi ei ysgythru ag asid
U 19.5 cm

Ym 1911 y cynhyrchodd Maurice Marinot (1882-1960), y peintiwr Fauve, wydr am y tro cyntaf, a gweithiai'n bennaf yn y cyfrwng hwnnw o 1919 tan 1937. Byddai'n gwneud ei wydr ei hun bob amser heb ddefnyddio moldiau, ac yn amlygu'r nodweddion golau, lliw a theimlad wyneb a oedd bryd hynny'n unigryw i wydr. Mae ei wydr wedi ei ddisgrifio fel "dŵr solet" ac fel cerflunwaith haniaethol.

Rhoddwyd gan Florence Marinot 1973. NMW A 50,728

140. Max Ernst (1891-1976)

Y coed 1927
olew ar gynfas
60.5 × 81.5 cm

Yr oedd ar Ernst arswyd awyr-gylch coedydd a'r adar ynddynt. Yma mae effaith croes-ymgroes y coed a'r awyr ddarniog yn dangos ei dechneg *grattage*. Byddai haenau o baent yn cael eu gosod ar y cynfas a hwnnw'n cael ei wasgu yn erbyn sitenni o fetel wedi eu stampio â phren garw, ac yna'i grafu. Ganed Ernst ger Cologne a bu'n astudio athroniaeth cyn dod yn brif arlunydd Swrealaidd Paris. Rhoddwyd y gwaith hwn i'r Gymdeithas Celfyddyd Gyfoes gan Miss A. F. Brown ym 1940.
Rhoddwyd gan y Gymdeithas Celfyddyd Gyfoes 1991. NMW A 503

139

141. Paul Nash (1889-1946)
Traeth 1928
olew ar gynfas
72.8 × 49.5 cm
Gwelai Nash y flwyddyn 1928 fel
blwyddyn o "weledigaeth ac ardd-
ull newydd". Ym mis Tachwedd y
flwyddyn honno bu'r arlunydd
metaffisegol Eidalaidd Giorgio de
Chirico yn arddangos ei waith yn
Llundain ac y mae ei ddylanwad
i'w weld yn amlwg yn y darlun
ffurfiol a llym hwn. Yn ystod y
1930au câi ei alw'n *Dŵr Mooraidd,*
Cros de Cagnes ar ôl canolfan ger
Nice lle'r oedd yr arlunydd eisoes
wedi aros ym mis Ionawr 1925.
Mae'n bosibl fod syniad o alcem-
yddiaeth yn y cyfansoddiad swreal
hwn o ffynnon dŵr croyw wrth
ymyl y môr hallt.
Prynwyd 1992. NMW A 1663

142. René Magritte (1898-1967)
Y fasg wag 1928
olew ar gynfas
81.3 × 116.2 cm
Yn ei draethawd "Words and
images", a gyhoeddwyd ym 1929,
dywedodd y Swrealydd Magritte
o Wlad Belg fod pob delwedd "yn
awgrymu bod yna ragor y tu ôl
iddi". O edrych arnynt drwy ffrâm
ar ffurf afreolaidd, y delweddau
hyn yw awyr, llen o blwm gyda
chlychau sled o'i gwmpas, tu blaen
tŷ, dalen o ffurfiau papur, coedwig
a thân. Mae'r teitl yn creu ofn yr
anweladwy, sy'n frith yng ngwaith
yr arlunydd ac yn adlewyrchu
diddordeb eithriadol y Swrealwyr
yn syniad Freud am yr anymwy-
bod.
Prynwyd 1973. NMW A 2051

141

142

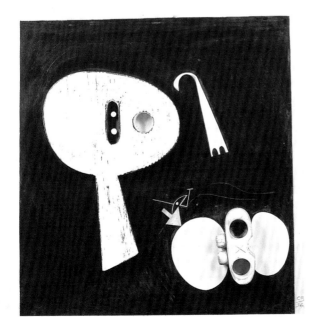

143

143. Ceri Richards (1903-71)
Gwyn a thywyll 1936
adeiladwaith o bren wedi ei beintio
50.2 × 54 cm
Ganed yr arlunydd yn Nynfant ger
Abertawe a bu'n astudio yn Ysgol
Gelf Abertawe a'r Coleg Brenhinol.
Mae'r cyfansoddiad Haniaethol
hwn ar y ffin rhwng peintio a cher-
flunio a daw o flwyddyn yr Ardd-
angosfa Swrealaidd Ryngwladol
yn Llundain. Mae'n deyrnged i
Picasso ac Arp, yn dadansoddi'r
berthynas rhwng golau a thywyll,
ffurf a gwagle mewn ffordd debyg
i gerfweddau cyfoes Ben Nicholson
a cherfiadau Henry Moore.
Prynwyd 1965. NMW A 221

144

144. Merlyn Evans (1910-73)

Coed ffawydd yng ngolau'r lleuad
1931-3
tempera ar banel
101.5 × 101.5 cm

Ganed Evans yn Llandaf, Caer-
dydd ac ym 1913 symudodd ei
deulu i Rutherglen yn yr Alban.
Bu'n astudio yn Ysgol Gelf Glas-
gow. Daw'r darlun hwn o ddylun-
iad ym 1930. Mae'n ei gofio fel
"Gwaith haniaethol o natur delyn-
egol... Wrth gerdded gyda'r nos
yn Rutherglen byddwn yn aml yn
mynd heibio i goedydd ffawydd.
Daw'r naws hydrefol a lliw'r
darlun (yn ogystal â cherfwedd ar-
iannaidd llyfn y boncyffion, a lliw
brown cras dail yr hydref) o'r
Coed Ffawydd hyn yng Ngolau'r
lleuad".
Prynwyd 1963. NMW A 2160

145. David Jones (1895-1974)

Seiffon ac arian 1930
olew ar fwrdd
50.1 × 68.6 cm

Daw'r gwaith hwn o'r cyfnod pan
oedd gan yr arlunydd ei gysylltiad
agosaf â'r avant garde ym Mhry-
dain, flwyddyn ar ôl ymuno â'r
Gymdeithas Saith a Phump. Yr
oedd Jones yn arlunydd bywyd llo-
nydd penigamp, ond ychydig
luniau olew a beintiai. Yma mae'r
paent wedi ei deneuo â thyrpant er
mwyn i'r cefndir gwyn ddangos
drwyddo, gan roi i'r gwaith loyw-
der sy'n ein hatgoffa o'i hoff dech-
neg o beintio dyfrlliw.
Rhoddwyd gan Mrs Doreen Lucas
er cof am ei gŵr, M. B. C. Lucas
1988.
NMW A 2041

146. Edward Morland Lewis

(1903-43)
Y Traeth, Talacharn 1931
olew ar gynfas
38.1 × 61 cm

Golwg o aber Afon Taf yn Nhal-
acharn ger man geni'r arlunydd
yng Nglanyfferi, Dyfed. Seiliodd
Lewis ei ddarlun ar ffotograff du a
gwyn, gan sgwario hwnnw a thros-
lunio amlinelliad yr olygfa. Dys-
godd y dechneg honno oddi wrth
W. R. Sickert.
Rhoddwyd gan E. F. Lewis 1961.
NMW A 2037

145

146

12. Celfyddyd o'r Ail Ryfel Byd hyd Heddiw

Er i weithiau megis cyfansoddiadau Ciwbaidd Picasso neu ddarluniau Rayonaidd Natalia Goncharova achub y blaen ar Haniaethedd, llwyddodd i flodeuo gyntaf ar ôl y Rhyfel Byd Cyntaf yng ngwaith arlunwyr Canol Ewrop, gan gynnwys László Moholy-Nagy o Hwngari a Willi Baumeister o'r Almaen. Ym Mhrydain, ffurfiwyd y grŵp cyntaf o Haniaethwyr, sef Uned Un, yn Llundain ym 1932-3 a chynhaliwyd yr unig arddangosfa ym 1934. Yn y flwyddyn honno, bu Ben Nicholson yn ymweld â Piet Mondrian ac arddangosodd ei gerfwedd gwyn cyntaf. Bu gan Nicholson ychydig ddylanwad ar ei gyfeillion yn y Gymdeithas Saith a Phump, a bu John Piper yn arbrofi gyda Haniaethedd rhwng 1935 a 1938. Er i ddyfodiad Ffasgaeth, a ddaeth i'w anterth gyda dyfodiad yr Ail Ryfel Byd, achosi i nifer o aelodau blaengar yr avant garde ar y Cyfandir ddianc i Brydain, nid oedd yr awyrgylch o argyfwng cynyddol yn ddelfrydol ar gyfer trawsblannu Moderniaeth.

Yr oedd y mudiad artistig Prydeinig a oedd yn fwyaf cysylltiedig â'r Rhyfel, sef Neo-Ramantiaeth, yn meithrin ffurfiad olyddol a marwnadol a oedd yn ddigon agos i'r ysbryd gwlatgar a gâi ei annog gan y Weinyddiaeth Hysbysrwydd. Yr oedd diddordeb y Neo-Ramantwyr yn nhirwedd Prydain mewn rhai ffyrdd i'w gymharu â diddordeb peintwyr dechrau'r bedwaredd ganrif ar bymtheg, a oedd wedi troi'n hunan-ymchwiliol yn wyneb argyfwng cenedlaethol a dorrodd y cysylltiad ag Ewrop y Cyfandir. Cyfarfu John Piper â'r awdures Gymreig Myfanwy Evans ym 1934 a phriododd y ddau. Ddwy flynedd yn ddiweddarach daeth ar y cyntaf o deithiau niferus i Gymru i beintio. Ym 1934, yr oedd y peintiwr a'r gwneuthurwr printiau, Graham Sutherland, wedi ei hudo gan dirwedd Sir Benfro, a chan ei fod yn gweld amrywiaeth ddi-ben-draw yn y tir a ffurfiau ac awgrymiadau a oedd yn ysgogi ei broses artistig, dychwelai'n rheolaidd am ddeng mlynedd. Fel rhai o brif arlunwyr y Cynllun Arlunwyr Rhyfel Swyddogol, byddai'r ddau arlunydd yn cofnodi difrod bomiau a'r Llinell Gartref yng Nghymru. Ym 1943, comisiynwyd Ceri Richards, Pennaeth Peintio yn Ysgol Gelf Caerdydd, i wneud darluniau o weithwyr alcam Cymru. Y flwyddyn wedyn, dechreuodd ar gyfres o beintiadau ar thema geni a marw yn seiliedig ar gerddi Dylan Thomas. Nid oedd David Jones yn Arlunydd Rhyfel Swyddogol, ond ysgogwyd ef gan y gwrthdaro i gynhyrchu cyfres o ddarluniau mawr o fanyldeb eithriadol ac addurn symbolaidd lle mae hanes y Celtiaid yn thema sy'n ail-ddigwydd. Mae'r cyfuniad hwn o bresennol ansicr a gorffennol diamser, sy'n debyg i nofelau cyfoes John Cowper Powys, yn dangos posibilrwydd "Celfyddyd Gymreig" y gellir ei hadnabod, ond mewn ffordd sy'n rhy bersonol i fod yn batrwm i eraill.

Ar hyd a lled Ewrop, taenodd trychineb y Rhyfel gysgod hir ymhell ar ôl iddo ddod i ben. Ym Mhrydain, symbylodd hynny weithiau moel ond grymus fel *Tair astudiaeth ar gyfer ffigurau ar waelod croeshoeliad* gan Francis Bacon a pheintiadau gwleidyddol Merlyn Evans. Ymhlith y llu ffoaduriaid a ddihangodd i Brydain yr oedd cynheiliaid traddodiadau Mynegiannaeth a Realaeth Ewropeaidd, gan gynnwys Martin Bloch o Silesia a Josef

Herman o Wlad Pwyl. Bu Bloch yn peintio yng Nghymru droeon, ac ym 1944 ymsefydlodd Herman yn Ystradgynlais, lle byddai ar y dechrau yn rhannu ystafell gydag L. S. Lowry. Ym 1951, peintiodd y ddau bynciau Cymreig ar gyfer Gŵyl Prydain, a gynhaliwyd i ddathlu canrif ers yr Arddangosfa Fawr ym 1851. Mewn ffordd ddigon hunan-ymwybodol, yr oedd yr ŵyl fawr hon ar y Lan Ddeheuol yn Llundain yn ceisio dathlu llwyddiannau'r gorffennol a disgwyliadau'r dyfodol mewn gwlad a oedd yn ddamcaniaethol mewn cyflwr o heddwch ond a oedd mewn gwirionedd ynghanol Rhyfel Oer yn Ewrop a rhyfel gwirioneddol yn Korea. Er iddo gael ei ddinistrio gan berson yn protestio, yr oedd gwaith buddugol Reg Butler *Carcharor gwleidyddol dienw* ym 1952 yn mynegi hytrach yn fwy cryno ysbryd y cyfnod. Buasai Butler yn gynorthwywr i'r cerflunydd Henry Moore. Yr oedd yn gyfaill i Ben Nicholson, ac yr oedd hwnnw ymhell ar y blaen i'r prif dueddiadau mewn Moderniaeth er 1930, gan arddangos gyda'r Gymdeithas Saith a Phump, Uned Un a'r Arddangosfa Swrealaidd Ryngwladol cyn dod yn Arlunydd Rhyfel Swyddogol. Ar ôl ennill y wobr gerflunio ryngwladol yn y Biennale cyntaf yn Fenis ar ôl y Rhyfel ym 1948, daeth Moore yn gyflym yn gerflunydd mwyaf enwog Ewrop. Er bod ganddo ddiddordeb dwfn yn y rhyng-berthynas haniaethol rhwng ffurfiau, parhaodd yn anad dim yn gerflunydd ffigurau. Fel ei hen gyfaill Barbara Hepworth, cynwraig Nicholson, yr oedd gan Moore ddiddordeb dwfn mewn cerfio uniongyrchol a'r berthynas rhwng cerflunio a thirwedd. Yn rhyfedd iawn, oherwydd ei enwogrwydd rhyngwladol a'r galw helaeth am ei waith, aeth yn gynyddol ddibynnol ar gynorthwywyr a thechnegau castio.

147. David Jones (1895-1974)
Cyfarch Mair
pensil, creon a dyfrlliw ar bapur
77.5 × 57.8 cm
Er iddo gael ei eni yn Llundain, ystyriai'r awdur a'r arlunydd Pabyddol David Jones mai Cymro ydoedd, a chafodd ei nofel *In Parenthesis* ei chanmol fel "y cynnyrch Eingl-Gymreig gwirioneddol cyntaf". Mae'r darlun hwn o tua 1963 yn lleoli *Cyfarchiad* ar un o fryniau Cymru. Yn nodweddiadol, mae'n cyfuno tair thema grefyddol: gwawr y cyfnod Cristnogol; y Cyfarchiad fel rhagarweiniad i'r Dioddefaint; a'r chwedl Geltaidd am iachawdwriaeth. Yn yr awyr mae sêr Virgo wrth ymyl sêr Libra, sydd ar ffurf croes.
Prynwyd 1976. NMW A 2529

147

148

148. Josef Herman (1911-)
Glowyr yn canu 1950-1
tempera ar fwrdd
43 × 122 cm
Dianc o Wlad Pwyl wnaeth
Herman a threuliodd ddeng mly-
nedd o 1944 i 1954 yn Ystradgyn-
lais, lle peintiodd ei themâu mwyaf
adnabyddus o weithfeydd glo.
Astudiaeth yw hwn ar gyfer ei
waith mwyaf, y *Glowyr* anferth a
wnaed ar gyfer Pafiliwn Mwynau'r
Ynys yng Ngŵyl Prydain ym 1951.
Dechreuodd yr arlunydd gyda'r
ffigur a'i fraich i fyny ar y chwith,
ac wedyn rhoes synnwyr storiol i'r
safiad drwy ei ymgorffori gyda
grŵp yn canu.
Prynwyd 1992. NMW A 1674

149. John Piper (1903-92)
*Tŷ wedi dadfeilio, Hampton Gay,
Swydd Rydychen* 1941
olew ac inc india ar gynfas ar
fwrdd
63.5 × 76.7 cm
Mae'r hen dŷ yn Hampton Gay yn
adfail hardd mewn man anghys-
bell. Hwyrach i'r testun gael ei
awgrymu gan ddarluniau o
adeiladau hanesyddol wedi eu
chwalu yn y Blitz a wnaed gan
Piper i Bwyllgor Ymgynghorol yr
Arlunwyr Rhyfel.
Ar fenthyg oddi wrth Ymddiried-
olaeth Derek Williams. NMW A (L)
584

149

150. Ceri Richards (1903-71)
Cylch natur 1944
olew ar gynfas
102.2 × 152.7 cm
Mae'r llifeiriant hwn o ffurfiau
dynol, anifeilaidd a llysieuol yn ein
hatgoffa o dirluniau swreal gan
Max Ernst. Mae Richards hefyd
yn archwilio delweddau gweledol
sy'n dod â cherdd Dylan Thomas
*The force that through the green fuse
drives the flower* i'r cof. Ym 1945
cafodd ei gomisiynu i ddarlunio'r
gerdd yn *Poetry London*, a gwnaeth
dri lithograff gan ymgorffori'r
testun cyfan.

Prynwyd 1959. NMW A 219

150

Yr Unol Dleithiau oedd yr unig wlad fawr i ddod allan o'r Rhyfel yn gymharol ddianaf, ac o 1945 yr oedd iddi ddylanwad economaidd a gwleidyddol ar draws y byd. Dilynodd goruchafiaeth ddiwylliannol yn nhermau ehangach iaith, cerddoriaeth boblogaidd, hysbysebu, ffilmiau a ffasiwn, yn ogystal â "chelfyddyd aruchel" draddodiadol. Yn ystod diwedd y 1940au a'r 1950au, dyfeisiwyd ffurfiau newydd o beintio haniaethol anferth gan Jackson Pollock, Mark Rothko, y ffoadur Josef Albers o'r Almaen a pheintwyr Americanaidd eraill. O ganol y 1950au, dilynwyd hwy gan yr arlunwyr Pop Jasper Johns, Roy Lichtenstein ac Andy Warhol, a fyddai'n bwrpasol yn manteisio ar y cysylltiadau rhwng arlunio a chelfyddyd boblogaidd ac yna'n eu cymylu. Cynhaliwyd arddangosfeydd cychwynnol o gelfyddyd Americanaidd gyfoes yn Oriel Tate ym 1956 a 1959. Fodd bynnag, yr oedd eu harwyddocâd wrth drawsblannu i Brydain yn fach o'u cymharu â swyddogaeth ffilmiau, cylchgronau ac ehangiad cyflym setiau teledu yn y cartref, a ddaeth yn gyffredin yn ystod y 1950au. Cafodd Mynegiannaeth Haniaethol ddylanwad ar beintwyr Prydeinig megis Patrick Heron a John Hoyland, a dyfeisiodd Robyn Denny ei ffurf ei hun o haniaethedd "ymyl galed". Tyfodd ysgol Brydeinig fentrus o Gelfyddyd Bop i ddechrau yn y Coleg Celf Brenhinol, ac yno y bobl flaenllaw oedd David Hockney, Allen Jones, Patrick Caulfield a'r Americanwr alltud R. B. Kitaj. Ffynnai'r ffiguriaeth newydd hon wrth ymyl gweithiau peintwyr Prydeinig hŷn a oedd yn fwy cysylltiedig â'r traddodiad Ewropeaidd, megis Francis Bacon, Lucian Freud, Leon Kossoff, Frank Auerbach a Michael Andrews. Yng Nghymru yn y 1960au gwelwyd sefydlu Cyngor Celfyddydau Cymru annibynnol a llifodd nifer sylweddol o arlunwyr proffesiynol i mewn i staffio'r colegau celf a oedd wedi eu hail-lunio yng Nghaerdydd, Casnewydd a mannau eraill. Yr oedd y datblygiadau hyn yn annog ymlediad cwmpas cyfan o arddulliau newydd a oedd yn gyfredol yn rhyngwladol, o Gelfyddyd Bop i Ffotorealaeth. Tua diwedd yr ugeinfed ganrif, mae hwylustod teithio a chyfryngau sy'n mynd yn fwyfwy soffistigedig wedi dymchwel sawl rhwystr traddodiadol. Wrth i ffiniau gwledydd fynd yn gynyddol niwlog oherwydd datblygiad amrywiol gategorïau o wledydd yn Ewrop, gellir disgwyl i ffiniau'r rhanbarthau o'u mewn ddod yn fwy arwyddocaol. Rhaid i ni aros i weld a fydd rhyngwladoli profiad yn sgîl hynny yn cyfoethogi neu'n tlodi diwylliant rhanbarthol, gan gynnwys diwylliant Cymru.

151. Barbara Hepworth
(1903-75)
Cerflun hirgrwn (Delos) 1955
pren guarea persawrus, cafnau
wedi eu peintio'n wyn
H 22 cm
Priododd Barbara Hepworth â Ben
Nicholson ym 1932 ac yr oedd
wedi ymsefydlu fel arlunydd
Haniaethol digyfaddawd erbyn
1950. Ym 1954-5 cerfiodd nifer o
gerfluniau haniaethol gyda theitliau
Groegaidd o lwyth o ddwy dunnell
ar bymtheg o bren caled o Nigeria.
Mae'r rhain ymhlith ei gweithiau
crandiaf a mwyaf telynegol, a
chawsant eu hysbrydoli gan dir-
wedd a hynafiaethau Gwlad
Groeg. Delos yw safle ogof Apollo
a hefyd yr ynys y mae'r Cyclades
yn gorwedd o'i hamgylch ar ffurf
cylch hirgrwn.
Prynwyd 1982. NMW A 2416

152. Llestr blodau, Hans Coper
1973
crochenwaith caled, gwydredd
gwyn a du di-sglein
marc HC
U 39.2 cm
Bu Hans Coper (1920-81) yn
gweithio gyda Lucie Rie o 1946
tan 1959 a daeth yn grochenydd
mwyaf dylanwadol y cyfnod wedi'r
Rhyfel. Mae i'w lestri, sydd wedi
eu taflu ar olwyn, gymeriad cerf-
luniol eithriadol sy'n eu gwneud yn
hollol unigryw. Mae'r ffurf pâl hon
a ddatblygwyd o 1967 yn un
o nifer o ffurfiau geometrig sy'n
ailddigwydd yn gyson yn ei waith
diweddarach.
Prynwyd 1974. NMW A 32,082

153. Ben Nicholson (1894-1982)
Dwy ffurf 1940-3
olew ar gynfas ar fwrdd
60.3 × 59.1 cm
O dan ddylanwad yr arloeswr cel-
fyddyd Haniaethol Piet Mondrian
o'r Iseldiroedd, daeth Ben Nichol-
son yn un o Fodernwyr mwyaf
digyfaddawd Prydain. Rhwng
1933 a 1945 bu'n ymchwilio i ffurf
a gwagle drwy drefniadau o gylch-
oedd a phetryalau. Yma, yr effaith
gyffredinol yw golau ac eglurder.
Mae'r darnau tywyll wedi eu ham-
gylchynu gan liwiau goleuach ac
mae bloc gwyn yn tarfu ar y ffurf
betryal fawr ar y dde. Mae'r teitl
Dwy ffurf yn nofio o flaen cae o fan-
diau wedi eu graddio o hanner-
gwyn i lwydlas.
Prynwyd 1975. NMW A 2036

151

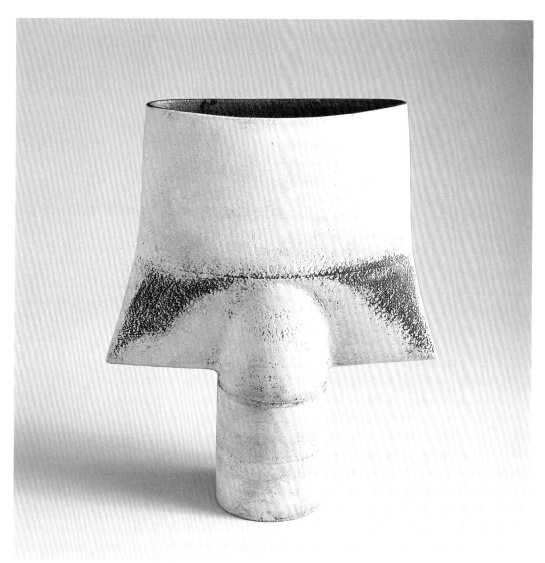

152

154. Henry Moore (1898-1986)
Motiff talsyth rhif 8 1956
efydd
U 198 cm
Erbyn 1950 câi Henry Moore ei
gydnabod yn gyffredinol fel arlun-
ydd avant garde pennaf Prydain.
Ym 1955-6 gweithiai ar gyfres o
gerfluniau talsyth efydd yn ein hat-
goffa o bolion totem a cherfluniau
Brancusi. Byddai tri o'r *Motiffau
talsyth* hyn weithiau'n cael eu
dangos gyda'i gilydd i edrych fel
grŵp Croeshoelio. Yma, mae'r
ffurfiau dynol crwn wedi eu gosod
yn erbyn y ffurfiau ffliwtiog fertigol
yn awgrymu ffigur wedi ei rwymo
wrth golofn Glasurol, megis Sant
Sebastian neu Grist yn cael ei
Fflangellu.
Prynwyd 1962. NMW A 2415

154

155

155. Graham Sutherland
(1903-80)
Coed gyda ffurf-G I 1972
olew ar gynfas
117 × 172 cm
Tua diwedd ei oes, byddai'r arl-
unydd yn mynd yn ôl yn aml i Or-
llewin Cymru ac yn aros yn aml
yng Ngastell Benton, "castell
bychan ond perffaith" uwchben
Afon Cleddy. Yno daeth ar draws
coeden gyda gwraidd cnotiog
anferth a roes iddo'r prif ffurf ar
gyfer ei waith. Mae'r ffurf ganolog
gordeddog yn gwrthgyferbynnu â
llinellau fertigol cymesur y bon-
cyffion, yn union fel y mae'r cefn-
dir du yn tynnu sylw at y gwyrdd
lliw asid yn y ffurfiau blaen.
Prynwyd 1973. NMW A 220

156

156. R. B. Kitaj (g.1932)
Tedeum 1963
acrylig ac olew ar gynfas
122.5 × 184 cm
Ganed Kitaj yn Ohio yn yr Unol
Daleithiau a daeth i Brydain ym
1958 i gael ei hyfforddi yn Rhyd-
ychen a'r Coleg Celf Brenhinol.
Mae dylanwad Swrealaeth ac
astudiaethau iconograffyddol yn
drwm iawn ar ei waith. Daw'r gwaith

hwn (yngenir y teitl fel y gair Saes-
neg "*tedium*") o ffotograff o gyn-
hyrchiad o *No Exit* gan Jean-Paul
Sartre. Y ffigur anferth ar y dde yw
Goethe, sy'n syllu allan drwy'r
ffenestr. Mae ei safiad llesg yn
adlewyrchu'r teitl ac yn cyfeirio at
Ennui, peintiad gan W. R. Sickert
sy'n cwmpasu anniddigrwydd dyn.
Prynwyd 1977. NMW A 226

157. Allen Jones (g.1937)
Bysiau 1964
olew ar gotwm trwm
274.3 × 304.8
Meddai Jones: "Yn fy ngwaith i
gyd rwyf wedi bod yn chwarae â
dyfeisiau i gyfleu symudiad. Yn
hwn, mae cyfres o osod lliwiau
gyda'i gilydd yn gadael i'r llygad
symud yn araf ar draws y cynfas.
Mae'n debyg i dagfeydd traffig yn
Llundain, lle mae pawb yn y bôn
yn symud i'r un cyfeiriad ond bod
y cyfan rywsut neu'i gilydd yn
symud yn ôl ac ymlaen am eu bod
i gyd yn symud ar gyflymdra gwa-
hanol ac ar adegau gwahanol."
Prynwyd 1977. NMW A 2178

157

158

158. Michael Andrews (*g.*1928)
Yr Eglwys Gadeiriol, Yr Wynebau Deheuol/Uluru (Ayers Rock) 1987
acrylig ar gynfas
243.8 × 388.6 cm
Bu Andrews yn astudio yn Ysgol Gelf Slade a bu yn Ayers Rock ym 1983. Mae'r graig ym Mharc Cenedlaethol Uluru yng Nghanolbarth Awstralia ac yn safle crefyddol pwysig i'r Aborigine. Mae hefyd yn atyniad pwysig i ymwelwyr. Cyfeirir at yr arwyddocâd deuol hwn yn y gwrthgyferbyniad rhwng y testun dwys a'r lliwiau llachar a'r peintio gwastad, sy'n ein hatgoffa o Gelfyddyd Bop. Ar ei ymweliad â'r "mynydd hud", cofiai Andrews am yr emyn Saesneg enwog *Rock of Ages, cleft for me*. Ar fenthyg oddi wrth Ymddiriedolaeth Derek Williams.
NMW A (L) 918

159. Francis Bacon (1909-92)
Astudiaeth ar gyfer hunan-bortread 1963
olew ar gynfas
165.2 × 142.6 cm
Francis Bacon oedd y prif beintiwr ffigurau ym Mhrydain ar ôl y rhyfel. Yr oedd wedi ei gyflyru gan Swrealaeth, ac ymelwai ar botensial mynegiannol portreadu gan anwybyddu ei werthoedd dehongliadol i raddau helaeth. Yma mae'r ffigur sy'n eistedd ac wedi ei fodelu'n drwm fel pe bae wedi ei foddi gan ei amgylchedd wastad.
Prynwyd 1978. NMW A 218

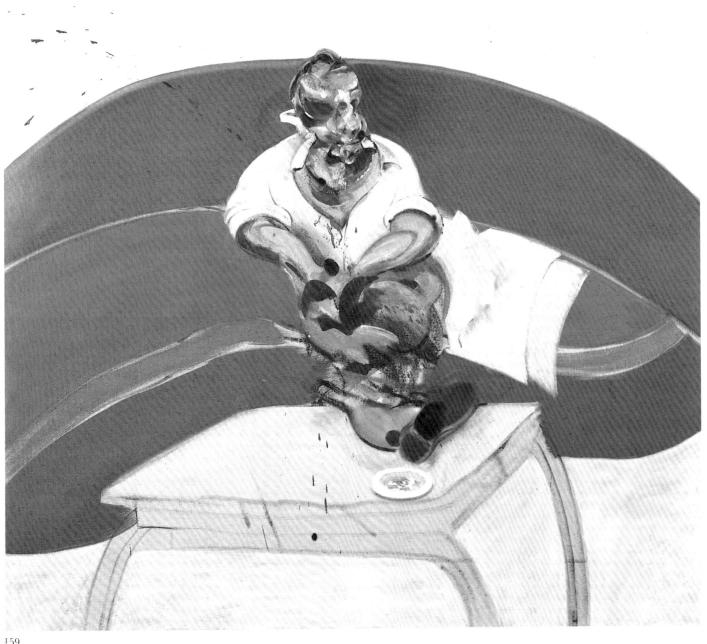

160

160. Lucian Freud (*g.*1922)
Stephen, brawd yr arlunydd 1985
olew ar gynfas
51 × 40.9 cm
Ganed Lucian Freud, ŵyr Sig-
mund Freud, ym Merlin. Mae ei
arddull yn dangos mannau cyswllt
â gwaith "Realwyr Newydd" yr
Almaen yn y 1920au, darluniau ei
athro Syr Cedric Morris, a rhai
Francis Bacon. Peintio ffigurau y tu
mewn i adeiladau y bydd Freud
gan amlaf, a'r rheiny'n rhyfeddol
am eu treiddgarwch seicolegol a'u
dwyster teimlad.
Prynwyd 1987. NMW A 223

Darllen Pellach

Cyflwyniad: Twf Casgliad

D. A. Bassett, "The Making of a National Museum", *Trafodion Anrhydeddus* Gymdeithas y Commrodorion, Llundain, 1982, tt.153-85, tt.187-220; 1984, tt.217-316 a 1990, tt.193-260

Cardiff Fine Art & Industrial Exhibition, cat.ardd, Caerdydd, 1870, 1881 a 1896

Llyfrgell Rydd ac Amgueddfa Caerdydd (Amgueddfa ac Oriel Gelf Caerdydd wedyn ac Amgueddfa Hanes Natur, Celfyddydau a Hynafiaethau Cymru), *Adroddiad Blynyddol*, Caerdydd, 1862-1911

Catalogue of Loan Exhibition of Painting, cat.ardd, Amgueddfa Genedlaethol Cymru, Caerdydd, 1913

Catalogue of an Exhibition of Works by Certain Artists of Welsh Birth or Extraction, cat.ardd, Amgueddfa Genedlaethol Cymru, Caerdydd, 1914

Contemporary Art Society for Wales 50th Anniversary Exhibition, cat.ardd, Amgueddfa Genedlaethol Cymru, Caerdydd, 1987

M. L. Evans, *The Derek Williams Collection at the National Museum of Wales*, Amgueddfa Genedlaethol Cymru, Caerdydd, 1989

J. M. Gibbs, *James Pyke Thompson: The Turner House, Penarth 1888-1988*, Amgueddfa Genedlaethol Cymru, Caerdydd, 1990

J. Ingamells, *The Davies Collection of French Art*, Amgueddfa Genedlaethol Cymru, Caerdydd, 1967

Amgueddfa Genedlaethol Cymru, *Adroddiad Blynyddol*, Caerdydd, 1909-78

Amgueddfa Genedlaethol Cymru, Caerdydd, *Charter of Incorporation*, Caerdydd, 1912

Amgueddfa Genedlaethol Cymru, Caerdydd, *Catalogue of the Pictures and Sculptures exhibited in the Cardiff Collections, Trinity Street*, Caerdydd, 1914

Amgueddfa Genedlaethol Cymru, Caerdydd, *Catalogue of the Gwendoline Davies Bequest*, Caerdydd, 1952

Amgueddfa Genedlaethol Cymru, Caerdydd, *Catalogue of Oil-Paintings*, Caerdydd, 1955

Amgueddfa Genedlaethol Cymru, Caerdydd, *Catalogue of the Margaret S. Davies Bequest*, Caerdydd, 1963

Amgueddfa Genedlaethol Cymru, Caerdydd, *Siarter a Statudau*, Caerdydd, 1991

T. Mardy Rees, *Welsh Painters, Engravers, Sculptors (1527-1911)*, Caernarfon, 1912

J. Ward, *A Guide to the Pyke-Thompson Loan Collection of Water-Colour Paintings etc. in the Cardiff Corporation Museum and Art Gallery*, Caerdydd, 1897

F. Wedmore, *A Descriptive Catalogue of Drawings, Prints, Pictures and Porcelain collected by James Pyke Thompson and placed in the Turner House, Penarth*, Penarth, 1900

E. White, *The Ladies of Gregynog*, Y Drenewydd, 1984

I. Williams, *A Guide to the Collection of Welsh Porcelain*, Amgueddfa Genedlaethol Cymru, Caerdydd, 1931

A. S. Wittlin, *The Museum*, Llundain, 1949

1. Celfyddyd yng Nghymru o'r Canol Oesoedd i Oes y Goleuni

Artists of the Tudor Court, cat.ardd, gol. R. Strong, Amgueddfa Albert, Llundain, 1983

J. Ballinger, "Katheryn of Berain", *Y Commrodor*, cyf.XL, 1929, tt.1-42

D. W. Powell, *Patriarchs and Parasites: The Gentry of South-West Wales in the 18th Century*, Caerdydd, 1986

P. Jenkins, *A History of Modern Wales 1536-1990*, Llundain, 1992

A. Laing, "Lord Herbert of Cherbury", *National Art-Collections Fund Review*, cyf.LXXXVII, 1991, tt.147-52

K. B. McFarlane, *Hans Memling*, Llundain, 1971

P. Morgan, *A New History of Wales: The 18th-Century Renaissance*, Llandybie, 1981

E. Rowan (gol.), *Art in Wales: An Illustrated History 2000BC-AD1850*, Caerdydd, 1978

J. Steegman, *A Survey of Portraits in Welsh Houses*, Amgueddfa Genedlaethol Cymru, Caerdydd, 1957 a 1962

D. H. Turner, *The Hastings Hours*, Llundain, 1983

A. Wassenbergh, *L'Art du Portrait en Frise au Seizième Siècle*, Leiden, 1934

G. A. Williams, *When Was Wales?*, Llundain, 1985

2. Yr Hen Feistri o'r Dadeni i Oes Goleuni

A. Blunt, *The Paintings of Nicolas Poussin*, Llundain, 1966

W. G. Constable ac L. G. Links, *Canaletto*, Rhydychen, 1976 a 1989

A. D. Fraser Jenkins, "An altarpiece by Alessandro Allori" *Amgueddfa*, cyf.LX, 1971, tt.16-23

From Borso to Cesare d'Este: The School of Ferrara 1450-1628, cat.ardd, Matthiesen Fine Art Ltd, Llundain, 1984

R. Grosshans, *Maerten van Heemskerck*, Berlin, 1980

J. Held, "The case against the Cardiff '"Rubens" cartoons", *The Burlington Magazine*, cyf.CXXV, 1983, tt.132-6

P. Humfrey, *Cima da Conegliano*, Caer-grawnt, 1983

M. Jaffé, "Rubens's Aeneas cartoons in Cardiff", *The Burlington Magazine*, cyf.CXXV, 1983, tt.136-51

M. Jaffé a P. Cannon-Brookes, "…Sono dissegni coloriti di Rubens", *The Burlington Magazine*, cyf.CXXVIII, 1986, tt.780-5

Nicolas Poussin/Claude Lorrain: zu dem Bildern im Städel, cat.ardd, Städtische Galerie im Städelschen Kunstinstitut, Frankfurt, 1988

A. Sutherland Harris, *Andrea Sacchi*, Rhydychen, 1977

3. Richard Wilson a Thomas Jones yn yr Eidal a Chymru

W. G. Constable, *Richard Wilson*, Llundain, 1952

L. Gowing, *The Originality of Thomas Jones*, Llundain, 1985

R. C. B. Oliver, *The Family History of Thomas Jones, the Artist*, Llandysul, 1970

A. P. Oppe, "The Memoirs of Thomas Jones", *The Walpole Society*, cyf.XXIII, 1951

D. H. Solkin, *Richard Wilson*, Oriel Tate, Llundain, 1982

Travels in Italy 1776-1783, cat.ardd, gol. F. W. Hawcroft, Oriel Gelf Whitworth, Manceinion, 1988

4. Maecenas Cymreig: Syr Watkin Williams Wynn

A. M. Clark, *Pompeo Batoni: A Complete Catalogue of his Works*, Rhydychen, 1985

B. Ford, "Syr Watkin Williams Wynn: a Welsh Maecenas", *Apollo*, 99, 1974, tt.435-9

P. Hughes, "An Adam Punch Bowl", *Burlington Magazine*, cyf.CIX, 1967, t.646

P. Hughes, "The Williams Wynn silver in the National Museum of Wales", *Connoisseur*, cyf.CLXXXIV, 1973, tt.33-7

T. W. Pritchard, *The Wynns at Wynnstay*, Caerwys, 1982

5. Porslen y Ddeunawfed Ganrif

E. Adams, *Chelsea Porcelain*, Llundain, 1987

R. Behrends, *Das Meissener Musterbuch für Höroldt-Chinoiserin*, Leipzig, 1978

Ceramics of Derbyshire, cat.ardd, gol. H. G. Bradley *et al*, Llundain, 1978

R. Charles, *Continental Porcelain in the 18th Century*, Llundain, 1964

C. C. Dauterman, *The Wrightsman Collection*, cyf.IV, *Porcelain*, Amgueddfa Gelf Metropolitan, Efrog Newydd, 1970

W. Goder et al, *Johann Friedrich Böttger: Die Erfingding des Europäisches Porzellans*, Leipzig, 1982

E. Köllerman ac M. Jarchow, *Berliner Porzellan*, Munich, 1987

Loosdrechts Porselein 1774-1784, cat.ardd, gol. E.W. Zappey et al, Zwolle, 1988

Meissener Porzellan 1710-1850, cat.ardd, R. Ruckert, Munich, 1966

6. Crochenwaith a Phorslen Cymreig

R. J. Charleston et al, *English Porcelain 1745-1850*, Llundain, 1965
G. Hughes ac R. Pugh, *Llanelly Pottery*, Llanelli, 1990
P. Hughes, *Welsh China*, Amgueddfa Genedlaethol Cymru, Caerdydd, 1972
E. Jenkins, *Swansea Porcelain*, Y Bont-faen, 1970
W. Grant Davidson, "Early Swansea Pottery, 1764-1810", *Transactions of the English Ceramics Circle*, cyf.VII, 1968, tt.59-82
W. D. John, *Nantgarw Porcelain*, Casnewydd, 1948
W. D. John, *Swansea Porcelain*, Casnewydd, 1958
A. E. Jones ac L. Joseph, *Swansea Porcelain: Shapes & Decoration*, Y Bont-faen, 1988
E. Morton Nance, *The Pottery and Porcelain of Swansea and Nantgarw*, Llundain, 1942

7. Celfyddyd Ffrengig o Gyfnod Clasuriaeth i'r Cyfnod Ôl-Argraffiadaeth

Vincent van Gogh Paintings, cat.ardd, Rijksmuseum Vincent van Gogh, Amsterdam, 1990
A. Boine, *The Academy and French Painting in the Nineteenth Century*, Llundain, 1971
M. Brunet ac M. C. Ross, "The Sèvres Service of South American Birds at Hillwood", *Art Quarterly*, Hydref 1962, tt.196-208
O. Fairclough, "Two Pieces from the Sèvres Service Iconographie Grec", *National Art-Collections Fund Review*, cyf.LXXXVI, 1990, tt.149-52
François-Marius Granet, cat.ardd, gol. E. Munhall a J. Focarino, Casgliad Frick, Efrog Newydd, 1988
R. L Herbert, *Impressionism*, New Haven a Llundain, 1988
Jean-François-Millet, cat.ardd, Cyngor Celfyddydau Prydain Fawr, Llundain, 1976
K. E. Maison, *Honoré Daumier*, Llundain, 1968
The New Painting: Impressionism 1874-1886, cat.ardd, Amgueddfa Celfyddyd Gain, San Francisco, 1986
Post-Impressionism: Cross-Currents in European Painting, cat.ardd, Academi Gelf Frenhinol, Llundain, 1979
Renoir, cat.ardd, Cyngor Celfyddydau Prydain Fawr, Llundain, 1985
Rodin Sculpture and Drawings, cat.ardd, gol. C. Lampert, Cyngor Celfyddydau Prydain Fawr, Llundain, 1986
P. H. Tucker, *Monet in the '90s*, New Haven a Llundain, 1989

8. Celfyddyd ym Mhrydain o Sefydlu'r Academi Frenhinol i'r Clwb Celfyddyd Seisnig Newydd

M. Butlin ac E. Joll, *The Paintings of JMW Turner*, New Haven a Llundain, 1984
Constable, cat.ardd, gol. L. Parris ac I. Fleming-Williams, Oriel Tate, Llundain, 1991
R. Dorment, *Alfred Gilbert*, New Haven a Llundain, 1985
J. Hayes, *The Landscape Paintings of Thomas Gainsborough*, 2 gyf, Llundain, 1983
S. C. Hutchinson, *The History of the Royal Academy, 1768-1986*, Llundain, 1986
B. Laughton, *Philip Wilson Steer*, Rhydychen, 1971
Reynolds, cat.ardd, Academi Gelf Frenhinol, Llundain, 1986
The Pre-Raphaelites, cat.ardd, Oriel Tate, Llundain, 1984
A. McLaren Young, M. MacDonald, R. Spencer a H. Miles, *The Paintings of James McNeill Whistler*, 2 gyf, New Haven a Llundain, 1980
Victorian High Renaissance, cat.ardd, Sefydliad Celf Minneapolis, 1978

9. Cymru: Artistiaid, Pobl a Lleoedd o'r Chwyldro Diwydiannol tan y Dirwasgiad

D. Bell, *The Artist in Wales*, Llundain, 1957
Collectie Frank Brangwyn, cat.ardd, gol. D. Marechal, Stedelijke Musea, Bruges, 1987
Goscombe John at the National Museum of Wales, cat.ardd, gol. F. Pearson, Amgueddfa Genedlaethol Cymru, Caerdydd, 1979
A. P. Ledger, G. L. Pendred ac R. A. Hallet, "The Hafod Service", *Derby International Porcelain Society Newsletter*, cyf.XXVII, 1992, tt.5-16
E. Rowan, *Art in Wales: An Illustrated History 1850-1980*, Caerdydd, 1985
F. Rutter, *The British Empire Panels*, Benfleet, 1933
The Strange Genius of William Burges "Art Architect" 1827-1881, cat.ardd, Amgueddfa Genedlaethol Cymru, Caerdydd, 1981
Turner in Wales, cat.ardd, gol. A. Wilton, Oriel Gelf Mostyn, Llandudno, 1984

10. Gwen John ac Augustus John

S. Chitty, *Gwen John 1876-1939*, Llundain, 1981
M. Easton ac M. Holroyd, *The Art of Augustus John*, Llundain, 1976
Gwen John at the National Museum of Wales, cat.ardd, gol. A. D. Fraser Jenkins, Amgueddfa Genedlaethol Cymru, Caerdydd 1976
M. Holroyd, *Augustus John: A Biography*, 2 gyf, Llundain, 1974 a 1975
J. D. Innes at the National Museum of Wales, cat.ardd, gol. A. D. Fraser Jenkins, Amgueddfa Genedlaethol Cymru, Caerdydd 1975
A. John, *Autobiography*, Llundain, 1975
C. Langdale, *Gwen John*, New Haven a Llundain, 1987
Portraits by Augustus John: Family, Friends and the Famous, cat.ardd, gol. M. L. Evans, Amgueddfa Genedlaethol Cymru, Caerdydd, 1988

11. O Ôl-Argraffiadaeth i Swrealaeth

W. Barron, *Sickert*, Llundain, 1973
British Art in the 20th Century: The Modern Movement, cat.ardd, Academi Gelf Frenhinol, Llundain, 1987
Cedric Morris, cat.ardd, gol. R. Morphet, Oriel Tate, Llundain, 1984
David Jones, cat.ardd, gol. P. Hills, Oriel Tate, Llundain, 1981
Eric Gill: Sculpture, cat.ardd, gol. J. Collins, Oriel Gelf Barbican, Llundain, 1992
Exhibition of the National Museum of Wales: Twentieth Century Art in Wales, cat.ardd, gol. M. L. Evans, Amgueddfa Gelf Fuji Tokyo, 1989
A. D. Fraser Jenkins, "Edward Morland Lewis' landscape and photography" *Apollo*, cyf.XCIX, 1974, tt.359-60
Magritte, cat.ardd, gol. S. Whitfield, Oriel Hayward, Llundain, 1992
Max Ernst, cat.ardd, Oriel Tate, Munich, 1991
E. Silber, *The Sculpture of Epstein*, Rhydychen, 1986
D. Sutton, *André Derain*, Llundain, 1959

12. Celfyddyd o'r Ail Ryfel Byd hyd Heddiw

Ben Nicholson: Fifty Years of his Art, cat.ardd, Oriel Gelf Albright-Knox, Buffalo, 1978
The British Neo-Romantics, cat.ardd, Amgueddfa Genedlaethol Cymru, Caerdydd, 1983
Ceri Richards, cat.ardd, Oriel Tate, 1981
Graham Sutherland, cat.ardd, Oriel Tate, Llundain, 1982
Henry Moore, cat.ardd, gol. S. Compton, Academi Gelf Frenhinol, Llundain, 1988
John Piper, cat.ardd, gol. A. D. Fraser Jenkins, Oriel Tate, Llundain, 1983
Joseph Herman Paintings and Drawings 1940-1956, cat.ardd, Oriel Gelf Whitechapel, Llundain, 1956
A Paradise Lost: The Neo-romantic Imagination in Britain 1935-55, cat.ardd, gol. D. Mellor, Oriel Barbican, Llundain, 1987
The Politial Paintings of Merlyn Evans, cat.ardd, Oriel Tate, Llundain, 1985
Pop Art, cat.ardd, gol. M. Livingstone, Academi Gelf Frenhinol, Llundain, 1991
Reg Butler, cat.ardd, Oriel Tate, Llundain, 1983
A School of London: Six Figurative Painters, cat.ardd, Cyngor Prydeinig, Llundain, 1987